頻出度順

漢字検定

準1級

合格！問題集

新星出版社

目次

※本書は2024年2月現在の情報をもとに作成しています。

付録　とっさに役立つ　準1級用資料

別冊の解答と答案用紙のサンプル

別冊

● STAFF
デザイン・DTP／株式会社グラフト

Use 本書の特長と使い方

本書は、公益財団法人日本漢字能力検定協会が実施している「日本漢字能力検定」の準1級に合格する力を効率よく養うための書籍です。

1 新しい審査基準に完全対応

平成22年の常用漢字表の改定に伴って、平成24年第1回(6月)から新審査基準になりました。本書はこの新審査基準に対応しており、**実際に出題された新傾向問題も調査し、再現**しています。

2 別冊に模擬試験問題5回分を収録

別冊には最新の出題形式・傾向に対応した模擬試験問題5回分を収録しました。自信があるなら、まず1回分解いてみて、苦手なテーマを知り、集中的に勉強するのもいいでしょう。また、試験前の総仕上げとしても活用できます。

3 頻出度順にA・B・Cにランク分け

過去に出題された問題を分析し、本冊では出題テーマごとによく出題される問題からA・B・Cにランク分けをしました。また、直近の試験で出題された問題を特集ページでまとめています。最新の出題形式に対応しているので、効率よく学習することができます。

4 充実の付録

準1級の配当漢字表と部首索引、常用漢字の表外読み、国字一覧、「四字熟語」と「故事・諺」の解説(各12ページ)、本試験の答案用紙のサンプルなど付録も充実しています。

Guide 受検ガイド

検定日と検定時間

日本漢字能力検定が公開会場で実施されるのは、**年3回**です。検定時間は1～7級は60分です。

第1回　２０２４年６月16日
第2回　２０２４年10月20日
第3回　２０２５年２月16日

※変更の可能性があります

受検資格と受検級と出題範囲

級位は10級から準2級、2級、準1級、1級まで12段階あり、どの級からでも自由に受けられます。また、検定時間が級によって異なる場合があるため、複数の級（4つまで）を同じ日に受けることもできます。その場合、それぞれに願書と検定料が必要です。

準1級の対象レベルは、大学・一般程度となり、約3000字の漢字が出題範囲となります。

検定料

準1級の検定料は5500円です。なお、申込後の検定料の返金や次回への延期はできません。

検定会場

個人で受検する場合も団体で受検する場合も、すべて公開会場での受検となります。受検地は、願書に載っている中から選ぶことができます。

合否の基準と通知

目安として、準1級は200点満点で80％ほどに達すれば合格となります。検定日から40日を目安に、検定結果通知が送られます。合格者には合格証書・合格証明書も送られます。

申し込み方法

●申し込みはインターネットを利用

漢字検定はインターネットにて申し込みをしてください。

日本漢字能力検定協会のホームページ（https://www.kanken.or.jp/kanken/）にアクセスし、必要事項を入力します。

クレジットカードによる支払い、コンビニ決済が可能です。

申し込み方法などは変更になることがありますので、最新情報は日本漢字能力検定協会のホームページでご確認ください。

＊注意点

申し込みの受付期間は、公開会場で行われる検定日の2か月前ごろから1か月前までのおよそ1か月間です。

手続きが終わると、検定日の1週間前ごろまでに受検票が送られてきます。検定日の3日前になっても受検票が届かない場合は、左記協会に問い合わせてください。

公益財団法人　日本漢字能力検定協会
〒605-0074
京都市東山区祇園町南側551番地
TEL　075-757-8600
FAX　075-532-1110
●お問い合わせ窓口
TEL　0120-509-315（無料）

Rule 準1級の採点基準

字種・字体

『漢検要覧1／準1級対応』（公益財団法人日本漢字能力検定協会発行）に示す「標準字体」「許容字体」「旧字体一覧表」によります。

例えば、「従容」の場合、「従容」（旧字体）でも正解となります。また、部首が「辶」「ネ」「羽」の場合、それぞれ「辶」「示」「羽」と書いても正解となります。なお、「艹」は「⺿・⺾」でも正解となります。

字の書き方

解答は、教科書体をもとに楷書体で大きく明確に書きましょう。行書体や草書体のようにくずした字や、乱雑な書き方は採点の対象外です。

例　楷書体　行書体　草書体

① 字の骨組みが正しく書けているか

○…碌　×…

② 字の組み立てが変わらないか

○…醬　×…

③ 一画ずつ書けているか

以上の三点にも気をつけましょう。

読み

解答は、内閣告示「常用漢字表」（平成22年）のみによるわけではありません。『漢検要覧1／準1級対応』を参照ください（ただし、訓読みについては字義も含みます）。

仮名遣い

内閣告示「現代仮名遣い」によります。

Point 出題内容と得点のポイント

準1級で出題される漢字

準1級で出題される漢字は、すべての常用漢字を中心とする約3000字で、JIS（日本産業規格）第一水準が目安とされています。

試験時間は60分で、合格ラインは200点満点中160点（80％）程度です。

なお、平成24年6月からの試験では、それまで準1級の配当漢字だった168字が常用漢字（2級の配当漢字）となりましたが、それ以降の試験でも出題されています。そのため、本書ではこの168字の漢字を使った問題も印をつけて収載しています。

また、新たに常用漢字（2級の配当漢字）に追加された、1級の配当漢字だった28字も、準1級での出題対象となります。211ページの漢字表にはその28字も収載しました。

1 読み　30問×1点

出題内容：短文中の傍線部の漢字の読みをひらがなで書く問題です。準1級配当漢字が中心で、国字が2題前後出題されます。

留意点：30問のうち、20問が音読み、10問が訓読み（国字含む）で、「書き取り」に次いで配点の高いところです。日頃馴染みの薄い漢字も多いので、短文の中で意味を理解していきましょう。

2 表外の読み　10問×1点

出題内容：短文中の常用漢字の常用外の読みを、ひらがなで書く問題です。

留意点：常用外の読みも馴染みが薄いところです。短文の中でその読み方を理解していきましょう。

3 熟語の読み・一字訓読み　10問×1点

出題内容：準1級配当漢字が含まれる熟語の読みと、その語義にふさわしい訓読み（例〔輔弼……弼ける〕）をひらがなで書く問題です。この場合だと、〔ほひつ……たす〕が答えとなります。

留意点：語義にふさわしい訓読みは、一見してすぐには判りづらいものがあります。そのようなときには、漢和辞典で当該漢字の表す意味を調べてみましょう。

4 共通の漢字　5問×2点

出題内容：2つの短文が一組として出題され、各短文中の（　）に共通する常用漢字一字をひらがなで示された選択欄から選び、漢字に直す問題です。当該漢字は2級以下の常用漢字全般にわたります。

留意点：例年、受検者の平均点が最も低い設問です。当該漢字を含む熟語の意味を辞書で調べて、理解していきましょう。

5 書き取り　20問×2点

出題内容：短文中のカタカナ部分を漢字に直す問題で、準1級配当漢字を中心に音・訓合わせて20問出題されます。そのうち、4問（音・訓一組ずつ）は同音訓異字語です。

留意点：準1級で最も配点の高い設問です。問題の短文をよく読み、練習問題をたくさん解きましょう。

6 誤字訂正　5問×2点

出題内容：短文中で、誤って使われている漢字一字を選び出し、正しい漢字に直す問題です。

留意点：誤字となる部分は、準1級配当漢字だけでなく、常用漢字の場合もあります。

7 四字熟語　10問×2点＋5問×2点

出題内容：準1級の四字熟語の問題は、2つの小問に分かれています。問1は、四字熟語の中の2字分をひらがなで示された選択欄から選び、漢字に直す問題で、10問出題されます。

問2は与えられた意味に適合する四字熟語を選択欄から選び、傍線部の読みをひらがなで書く問題で、5問出題されます。

なお、準1級配当漢字を含む四字熟語だけでなく、2級以下の四字熟語からも幅広く出題されます。

留意点：四字熟語は苦手とする受検者が多いところですが、「書き取り」に次いで配点の高いところです。四字熟語の意味と関連づけて理解しましょう。

8 対義語・類義語　10問×2点

出題内容：対義語5問、類義語5問が出題されます。いずれも対応する熟語をひらがなで示された選択欄から選んで漢字に直します。準1級配当漢字を含む熟語だけでなく、常用漢字の熟語も出題されます。

留意点：選択欄にある漢字は1回しか使えません。選んだ漢字には印を付けておきましょう。

9 故事・諺　10問×2点

出題内容：故事・成語・諺の中のカタカナ部分を漢字に直す問題で、準1級配当漢字を中心に10問出題されます。

留意点：限りなくある故事・諺をすべて憶えるのは大変です。本書では頻出度が高いものを中心に、本試験で出題された表現に準じて収録していますので、効率的な学習ができます。

10 文章題　5問×2点＋10問×1点

出題内容：著名な作家の文芸作品等の一部を題材にし、文章中の漢字の書き取り（5問）と、漢字の読み（10問）に答えます。

留意点：効率的な学習の対策を立てづらい設問ですが、本書ではよく出題される作家をランクづけし、問題を作成しました。まずは本書の練習問題と模擬問題で、出題の雰囲気に慣れておきましょう。

対策としては、教科書に出てくるような、明治・大正・昭和期に活躍した作家の文芸作品を読んでおくのもよいでしょう。なお、本文に取り上げた作品の文章は、本試験に準じて現代仮名遣いによる表記に改めています。

テーマ別
本試験型問題

※解答が複数ある場合は、そのうちどれか一つが正しく書いてあれば正解となります。複数書いた場合は、すべて正しくないと誤答となります。
※左側に●の付いた漢字は、平成24年度からの審査基準の改定で新たに常用漢字となった字種です。準1級配当漢字からは外れましたが、平成24年6月以降の新試験でも出題されています。なお、表外読みであってもマークを付けています。

特集

読み①

令和4年度に出題された問題をまずはチェック！

目標時間 15分
合格ライン 39点
得点 ／48 月 日

● 次の傍線部分の読みを**ひらがな**で記せ。1～34は**音読み**、35～48は**訓読み**である。

1 家族のために孜孜として働く。
2 大嘗会で天皇の供奉を務める。
3 何度も叩頭して詫び入った。
4 軒端の荻花が風に揺れている。
5 斌斌として文学の士多し。
6 必ずやこの艱難を匡済せん。
7 黒い錦紗の兵児帯を締める。
8 宮廷に楽師や舞姫が貢がれた。
9 王の寵愛を受けた尤物だった。
10 鉄桶の如き兵士に取り囲まれる。

解答
1 しし
2 だいじょうえ
3 こうとう
4 てきか
5 ひんぴん
6 きょうさい
7 きんしゃ
8 ぶき
9 ゆうぶつ
10 てっとう

11 書を学び無碍の境地に至る。
12 杏林のお陰で漸く快気した。
13 皐魚の泣とならぬよう孝行する。
14 攻撃に備え砲台を掩蓋で覆う。
15 朋友の情誼を深く感じる。
16 己巳の日は弁才天の縁日がある。
17 中国古典の翰藻を集めた良書だ。
18 蚤知の士として組織を牽引する。
19 着物に伽羅の香を焚き染める。
20 糞掃衣をまとい托鉢をする。

解答
11 むげ
12 きょうりん
13 こうぎょ
14 えんがい
15 じょうぎ
16 きし
17 かんそう
18 そうち
19 きゃら
20 ふんぞうえ

21 鶯語が春の訪れを告げる。
22 葉の表面が毛茸に覆われている。
23 耽美な演出で観客を魅了する。
24 心を弘誓の仏地に樹てる。
25 孤鞍雨を衝いて茅茨を叩く。
26 椿庭の下で料理修行を重ねる。
27 今回の市長選は正に逐鹿だ。
28 合格を目指して鉄杵を磨く。
29 縄文時代の石斧が発見された。
30 芸妓の三味線に合わせて踊る。
31 厳酷なるさまに蒼鷹と呼ばれた。
32 作品に落款印を押捺する。
33 牝馬が仔馬と草を食む。
34 穆然として自己と向き合う。

21 おうご
22 もうじょう
23 たんび
24 ぐぜい
25 ぼうし
26 ちんてい
27 ちくろく
28 てっしょ
29 せきふ
30 げいぎ
31 そうよう
32 おうなつ
33 ひんば
34 ぼくぜん

35 道の俣に地蔵が祀《まつ》られている。
36 名高い杢が寺の修繕を手掛ける。
37 姥口の鉄瓶を愛用している。
38 彼らの努力を嘉したく思う。
39 川の阿に群生する菅を刈り取る。
40 鍔音と共に刀を鞘へ納めた。
41 職場の歪な人間関係に悩む。
42 而の罪を重ぬること無かれ。
43 為さ弗んば胡ぞ成らん。
44 庭の苧環が葉を茂らせている。
45 歌舞伎で粂の仙人が演じられる。
46 船影もなく穏やかな凪が続いた。
47 虎斑の大きな蜂が飛び回る。
48 篦太い声に呼び止められた。

35 また
36 もく
37 うばぐち
38 よみ
39 くま
40 つばおと
41 いびつ
42 なんじ
43 なん
44 おだまき
45 くめ
46 なぎ
47 とらふ
48 のぶと

特集

特集 読み②

令和4年度に出題された問題をまずはチェック！

目標時間 6分
合格ライン 16点
得点 ／20
月 日

● 次の傍線部分の読みをひらがなで記せ。1～10は音読み、11～20は訓読みである。

1 本殿は神垣に囲まれている。
2 愛憐の情に胸がいっぱいになる。
3 鎌刃のこぼれを修正する。
4 玉屑霏々として舞い狂う。
5 創業者の女婿となり後を継いだ。
6 乙卯に起きた出来事を調べる。
7 翠雨が山をより鮮やかに見せる。
8 田圃の禾穂が黄金色の波を描く。
9 屢次の洪水で村は消滅した。
10 俊彦として尊敬を集めた。

解答
1 しんえん
2 あいれん
3 れんじん
4 ぎょくせつ
5 じょせい
6 いつぼう・おつぼう
7 すいう
8 かすい
9 るじ
10 しゅんげん

11 虚偽を恰も事実の如く流布する。
12 城址《じょうし》へと続く岨道を上る。
13 逆臣を誅《ちゅう》し大義を匡す。
14 舞人の沓の音が静かに響く。
15 葎に覆われた庭を手入れする。
16 祇園祭では厄除けに檜扇を飾る。
17 緑に包まれた静かな硲に住む。
18 高い梢の梢から月光が漏れる。
19 不満が澱のように溜まっていく。
20 自分を犠牲にする事も厭わない。

解答
11 あたか
12 そばみち・そわみち
13 ただ
14 くつ
15 むぐら
16 ひおうぎ
17 はざま
18 すぎ
19 おり
20 いと

特集 誤字訂正

令和4年度に出題された問題をまずはチェック!

目標時間 8分
合格ライン 12点
得点 /14
月 日

● 次の各文にまちがって使われている**同じ音訓の漢字**が**一字**ある。**上に誤字**を、**下に正しい漢字**を記せ。

1 燦然と輝く華飾の典に続き翌日からも優麗典雅な盛事が続いた。

2 形勢不利な状態であったが敵の退路を遮断して挽回の端初を得た。

3 度重なる群衆の蜂起は政府を動揺させ遂には威進を著しく傷つけた。

4 国内では労働者搾取、国外では軍事的に隣接民族を並呑していた。

5 険竣な悪所での開削は危険極まりなく尻込みする人足が続出した。

6 曽て鋳物で繁栄を誇った町も弔落し今や寂漠の情さえ覚える。

7 床の間に掛けられた一服は墨絵の六瓢箪で、無病息災の縁起物だ。

8 縁故の地に陰栖する父は日々釣を垂れて悠々自適を試みている。

9 友人の冷酷な態度と口噴に吃驚し、暫く呆気に取られた。

10 眼下に涯しない宏大無辺な昏碧の海が広がり正に一望千里の眺めだ。

11 相次ぐ災難に日頃の俊敏で細利な表情が消え恰も愚人のようだ。

12 花魁に紛した千両役者が舞台に艶麗な姿を現し拍手喝采を浴びた。

13 醜い現実に焦燥と苦問を極めたが僅かながら前途に光明を得た。

14 深碧に包まれた寺院は幽雅で風光絶佳な賞地として知られる。

解答

	誤		正
1	飾	→	燭
2	初	→	緒
3	進	→	信
4	並	→	併
5	竣	→	峻
6	弔	→	凋
7	服	→	幅
8	陰	→	隠
9	噴	→	吻
10	昏	→	紺
11	細	→	犀
12	紛	→	扮
13	問	→	悶
14	賞	→	勝

特集

共通の漢字

令和3年・4年度に出題された問題をまずはチェック！

目標時間 10分

合格ライン 16点

得点 ／20

月　日

● 次の各組の二文の（　）には**共通**する**漢字**が入る。その読みを後の□から選び、**常用漢字（一字）**で記せ。

1
将来学者になると（1）言していた。
地元の景勝顕（1）のため尽力する。

2
（2）鬼の如く町を徘徊《はいかい》する。
俗塵を嫌い（2）居を好んだ。

3
（3）来益々気難しくなった。
（3）残の身を思い知らされる。

4
史書などの（4）述に過ぎない。
氏族の始（4）を神として祀《まつ》る。

がん・そ・てい・べっ
ゆう・よう・ろう・わ

解答

1 揚（ようげん　けんよう）
2 幽（ゆうき　ゆうきょ）
3 老（ろうらい　ろうざん）
4 祖（そじゅつ　しそ）

5
自白の信用性に（5）義がある。
遅（5）せず作戦を遂行する。

6
（6）外の持て成しに恐縮する。
皇位に対して非（6）を抱いた。

7
よく商（7）した上で決めるべきだ。
裁判官が（7）刑を言い渡した。

8
所（8）の知識に頼らず思考する。
提携先に技術を供（8）する。

ぎ・ざい・さん・てい
なん・ぼう・よ・りょう

解答

5 疑（ぎぎ　ちぎ）
6 望（ぼうがい　ひぼう）
7 量（しょうりょう　りょうけい）
8 与（しょよ　きょうよ）

9
主家を追われ諸処に（9）寓する。
研究開発の本（9）から外される。

10
ご芳（10）に心から感謝いたします。
弾圧を受けながら（10）操を保った。

11
（11）意ない意見を聞かせてほしい。
二人の間に段々と疎（11）が生じた。

12
花見と称して清（12）する。
若くして江戸に（12）学する。

13
傑出した（13）眼の士と敬服する。
書画に優れた才能を（13）有する。

14
祖父の遺（14）を遵守している。
禅を志し持（14）に努めた。

かい・かく・ぐ・し・まい・めい
ゆう・りゅう

9 流 りゅうぐう ほんりゅう
10 志 ほうし しそう
11 隔 かくい そかく
12 遊 せいゆう ゆうがく
13 具 ぐがん ぐゆう
14 戒 いかい じかい

15
博学で文（15）には才気があった。
（15）去する客を門まで見送った。

16
北の国から遅い春の花（16）が届く。
場所を変えても魚（16）はなかった。

17
万（17）に一生を得て帰還した。
（17）力を尽くして任務に励んだ。

18
国民果して誰に適（18）せん。
観察の結果から（18）納する。

19
奥向の万事を差（19）する。
待遇改善への（19）意を望む。

20
親戚（20）旧が集まって酒宴を催す。
年は若いが世（20）に長けている。

き・こ・ごう・し・じ・しん
はい・ゆい

15 辞 ぶんじ じきょ
16 信 かしん ぎょしん
17 死 ばんし しりょく
18 帰 てっき きのう
19 配 さはい はいい
20 故 こきゅう せこ

特集

書き取り

令和4年度に出題された問題をまずはチェック！

目標時間 25分

合格ライン 39点

得点 ／48

月 日

● 次の傍線部分の**カタカナ**を**漢字**で記せ。

1 **コンポウ**した荷物を積み上げる。
2 役の**フンソウ**で会見に登場した。
3 受粉した**メシベ**はやがて実になる。
4 雨に濡れる紫陽花を**ショウガン**する。
5 **ホリュウ**の質で病気がちだった。
6 爽やかな**カンキツ**系の香りが好みだ。
7 優勝の瞬間、**カイサイ**を叫んだ。
8 小さな**ヒョウタン**に酒を入れる。
9 **スダレ**を下ろして日差しを避ける。
10 重要な外交懸案が**キタイ**に瀕した。

解答

1 梱包
2 扮装
3 雌蕊
4 賞(翫・玩)
5 蒲柳
6 柑橘
7 快哉
8 瓢箪
9 簾
10 危殆

11 噂は**トテツ**もない嘘だった。
12 資産を巡る**サヤア**てが展開された。
13 藩の運営に**キュウキュウ**としている。
14 消火作業で**ススマミ**れになる。
15 年末になり**ガゼン**忙しくなった。
16 **シンタン**を寒からしめる事件だ。
17 **カンブツエ**の参詣に出かけた。
18 三味線を**イジ**りながら唄を口遊む。
19 工場から**バイエン**が排出される。
20 世界的に**エンセン**の気運が高まった。

解答

11 途轍
12 鞘当
13 汲汲・汲々
14 煤塗
15 俄然
16 心胆
17 灌仏会
18 弄
19 煤煙
20 厭戦

21 **コントウ**して頭を強く打った。
22 長い**リョウセン**の山々が見えてきた。
23 処分を受け屋敷に**ヒッソク**していた。
24 国のために身を**テイ**する覚悟だ。
25 晩夏に**ケンギュウセイ**が輝いている。
26 疲れて何をするのも**オックウ**だ。
27 **カギカッコ**を付けた表記で強調する。
28 その夢は**ショウズイ**に違いない。
29 三か国語を**リュウチョウ**に話す。
30 友の苦しい心情を**キク**する。
31 情報の**シンガン**を見抜く力が必要だ。
32 再建の**ツチオト**が明るく響く。
33 真犯人を聞かされ**キョウトウ**した。
34 **ミノムシ**の一生を観察する。

21 昏倒
22 稜線
23 逼塞
24 挺
25 牽牛星
26 億劫
27 鉤括弧
28 祥瑞
29 流暢
30 掬
31 真贋
32 槌音
33 驚倒
34 蓑虫

35 広間は客で**リッスイ**の余地もない。
36 相手の剣幕にも**ヒル**む様子がない。
37 騒動を**モッケ**の幸いに脱出した。
38 言葉の意味を**ツラツラ**と考えてみた。
39 **ショコウ**の頃に客が訪ねてきた。
40 快復の**ショコウ**が現れ安堵する。
41 番組宛の葉書を**トウカン**する。
42 古い慣習を**トウカン**にはできない。
43 度々**ホラ**を吹いて信用を失った。
44 **ホラ**に籠もって書を著したとされる。
45 権力を**カサ**に着てやりたい放題だ。
46 **カサ**に懸かって攻め立てる。
47 先輩達に**ゴ**して鍛えられた。
48 引退を**ゴ**して試合に挑む。

35 立錐
36 怯
37 (勿・物)怪
38 熟
39 初更
40 曙光
41 投函
42 等閑
43 法螺
44 洞
45 笠
46 嵩
47 伍
48 期

特集

A ランク

読み①

● 次の傍線部分の読みを**ひらがな**で記せ。1～34は**音読み**、35～48は**訓読み**である。

1 僻地医療に尽くした杏林である。
2 穎才教育で有名な学校だ。
3 錫杖を持つ修験者の列が進む。
4 通行人を誰何する声を聞く。
5 文化交流が両国の紐帯となる。
6 携帯電話を枕頭に置いて眠る。
7 彼女は哀憐の情が深い。
8 急用のため允許を得て帰宅した。
9 艶冶な微笑を浮かべる女性。
10 高級ホテルの赫灼たる照明。

解答

1 きょうりん
2 えいさい
3 しゃくじょう
4 すいか
5 ちゅうたい・じゅうたい
6 ちんとう
7 あいれん
8 いんきょ
9 えんや
10 かくしゃく

11 職場の先輩に欽慕の念を抱く。
12 昔の家屋が櫛比する環境保存地区。
13 戎馬を殺して狐狸を求む。
14 花見客で夙夜賑わった。
15 九州は曽遊の地である。
16 俗諺に惑わされる。
17 寒中に夏日とは椿事だ。
18 爪牙の臣となり王に仕える。
19 履歴書に写真を貼付する。
20 商業の発達で都邑となった。

解答

11 きんぼ
12 しっぴ
13 じゅうば
14 しゅくや
15 そうゆう
16 ぞくげん
17 ちんじ
18 そうが
19 ちょうふ・てんぷ
20 とゆう

目標時間 15分

合格ライン 39点

得点 ／48

月 日

A 読み①

21 灘声を聞きながら床に就く。
22 乃父から伝えておくことがある。
23 各地の稗史を研究している。
24 ふ化した鶏を牝牡に分ける。
25 壺中の天に遊ぶ。
26 亥月は陰暦十月と同じである。
27 昨今の文壇は郁郁たるものだ。
28 一揖して客間に入った。
29 苦い薬を咽下する。
30 競走馬を厩舎から出す。
31 天子の叡慮を拝した。
32 客船を波止場まで曳航する。
33 先祖からの怨念を晴らす。
34 外交上の文書を掩蔽する。

21 たんせい・だんせい
22 だいふ
23 はいし
24 ひんぼ
25 こちゅう
26 がいげつ
27 いくいく
28 いちゆう
29 えんか・えんげ
30 きゅうしゃ
31 えいりょ
32 えいこう
33 おんねん
34 えんぺい

35 稲こきをして籾にする。
36 廓の面影が残っている。
37 山は椛で染まり秋が深まる。
38 客を郷土の味で饗す。
39 渡来人から伝えられた甑だ。
40 鴫はチドリ目の鳥である。
41 行く手に岨道が立ちはだかる。
42 おぼろげな記憶を辿る。
43 栂は用途の広い木材だ。
44 馬の脇腹に鐙を垂らす。
45 生と死の硲をさまよった。
46 鰯の缶詰を買う。
47 自責の念に苛まれる。
48 一語も忽せにしない文を書く。

35 もみ
36 くるわ
37 もみじ
38 もてな
39 こしき
40 しぎ
41 そばみち・そわみち
42 たど
43 つが・とが
44 あぶみ
45 はざま
46 いわし
47 さいな
48 ゆるが

Aランク

読み②

目標時間 15分

合格ライン 39点

得点 ／48 月 日

● 次の傍線部分の読みを**ひらがな**で記せ。1～34は**音読み**、35～48は**訓読み**である。

1 醤油で煮しめて伽羅蕗をつくる。
2 日本人は禾穀を主食にしてきた。
3 優渥な気配りを広く施す。
4 同窓の仲間は友誼に厚い。
5 ひどい仕打ちに赫怒する。
6 茅屋へお越しいただき恐縮です。
7 師匠の萱堂は百歳になられた。
8 侃侃たる論争をたたかわす。
9 万年筆で罫紙に書く。
10 帽子に新しい徽章をつける。

解答

1 きゃら
2 かこく
3 ゆうあく
4 ゆうぎ
5 かくど
6 ぼうおく
7 けんどう
8 かんかん
9 けいし
10 きしょう

11 亀卜は古代の占いである。
12 弓箭の道は武士の務め。
13 政治の腐敗を匡正する。
14 昔は桐油紙で作った合羽を着た。
15 定年まで屑屑と働いた父だった。
16 熊掌は美味の筆頭といわれる。
17 慧眼の士の出現を望んでいる。
18 この翰墨は祖父の形見だ。
19 大げさに喧伝され迷惑だ。
20 戦国大名の後胤である。

解答

11 きぼく
12 きゅうせん
13 きょうせい
14 とうゆ
15 せつせつ
16 ゆうしょう
17 けいがん
18 かんぼく
19 けんでん
20 こういん

21 納得したような口吻だった。
22 呪術を使って雨乞いをする。
23 徒歩で朔北の地を目指す。
24 斯界の権威が見解を述べた。
25 爾後、十年の空白がある。
26 山里の柴扉で暮らす。
27 芝蘭の室に入るが如し。
28 屢次の災害で財政が逼迫する。
29 三猿の石塔がある庚申塚。
30 兄は夙志が叶い教師になった。
31 象箸玉杯は、ぜいたく品だ。
32 堀を巡らした城砦を築く。
33 心の深淵は推し量れない。
34 揖譲して恭順の意を表する。

21 こうふん
22 じゅじゅつ
23 さくほく
24 しかい
25 じご
26 さいひ
27 しらん
28 るじ
29 こうしん
30 しゅくし
31 ぞうちょ
32 じょうさい
33 しんえん
34 ゆうじょう

35 駅から艮の方角に向かって歩く。
36 彼の行状には些か参っている。
37 坐らにして世の動きが分かる。
38 職場の人間関係には柵が多いものだ。
39 経理事務を一人で捌く。
40 根を蝕まれた大木が倒れた。
41 新刊の旅行案内は頗る面白い。
42 糸の切れた凧のように行方知らずだ。
43 鱈の腹は白く、口は大きい。
44 水底に溜まった澱を取り除く。
45 お土産の栃餅をいただく。
46 人情の機微を得意とする噺家。
47 口を開けば僻言ばかりだ。
48 悪童には殆手をやいている。

35 うしとら
36 いささ
37 いなが
38 しがらみ
39 さば
40 むしば
41 すこぶ
42 たこ
43 たら
44 おり
45 とちもち
46 はなしか
47 ひがごと
48 ほとほと

A ランク

読み③

●次の傍線部分の読みをひらがなで記せ。1〜34は**音読み**、35〜48は**訓読み**である。

1 塵芥を減らす努力を求める。
2 部下を課長に推挽した。
3 吟行に季語の袖珍本を携える。
4 店が繁盛し有卦に入る。
5 得意気に喋喋と話す。
6 仕事の寸隙を縫って食事をする。
7 ご清穆の由お喜び申し上げます。
8 豊頬で八頭身の美人だ。
9 染色技術に造詣が深い。
10 翠黛の山容をカメラに収める。

解答
1 じんかい
2 すいばん
3 しゅうちん
4 うけ
5 ちょうちょう
6 すんげき
7 せいぼく
8 ほうきょう
9 ぞうけい
10 すいたい

11 叩首して仏像に拝礼した。
12 歴史小説を深夜まで耽読する。
13 苧麻はイラクサ科の多年草だ。
14 雛妓が早暁から稽古する。
15 友人から暢達な字の手紙が届く。
16 夏の汀渚に若者が集う。
17 禿筆ですがお読みください。
18 高地での生活に馴致させる。
19 禰宜は神職の一つである。
20 閣僚の謬見を指摘する。

解答
11 こうしゅ
12 たんどく
13 ちょま
14 すうぎ
15 ちょうたつ
16 ていしょ
17 とくひつ
18 じゅんち
19 ねぎ
20 びゅうけん

目標時間 15分

合格ライン 39点

得点 /48

月 日

A 読み③

21 トキが蕃殖期を迎えている。
22 彼此手に取って比較する。
23 十八歳で膝下を離れた。
24 経済情勢が逼塞状態に落ちこむ。
25 這般の情勢により法制化を見送る。
26 廟議によって政治を行う。
27 昔は斧斤で木を伐採した。
28 荒れ地が沃土に生まれ変わった。
29 鏡の前で粉黛を直す。
30 蓬莱飾りは新年の祝い物である。
31 明治維新の原点に遡行する。
32 民衆への弾圧は暴戻を極めた。
33 同窓生で一番の尤物である。
34 両者の見解が吻合する。

21 はんしょく
22 ひし
23 しっか
24 ひっそく
25 しゃはん
26 びょうぎ
27 ふきん
28 よくど
29 ふんたい
30 ほうらい
31 そこう
32 ぼうれい
33 ゆうぶつ
34 ふんごう

35 遅刻したことを尤められる。
36 鑓を両手でしごく。
37 豪速球がバットを掠った。
38 消費者の購買意欲を煽る。
39 上司に阿るような社員ではない。
40 風もなく宛も春のような暖かさだ。
41 神経が昂って眠れない。
42 愛情は許容の謂とも言える。
43 焚き火の煙に咽ぶ。
44 祖父は老いてますます旺んだ。
45 俄に大粒の雨が降ってきた。
46 女性党首の魁となる。
47 樫の字は堅い木の意味を表す。
48 近隣の住民と誼を結ぶ。

35 とが
36 やり
37 かす
38 あお
39 おもね
40 あたか
41 たかぶ
42 いい
43 むせ
44 さか
45 にわか
46 さきがけ
47 かし
48 よしみ

A
ランク

読み④

目標時間 15分
合格ライン 39点
得点 ／48
月　日

● 次の傍線部分の読みを**ひらがな**で記せ。1～34は**音読み**、35～48は**訓読み**である。

1 凌雲の志を胸に秘める。
2 晴れ着を衣桁に掛ける。
3 木製の脇息にもたれる。
4 暗夜に濤声がとどろく。
5 水辺は一面の藪沢だった。
6 鉤餌を準備して漁に出る。
7 居酒屋で同僚の鶯遷を祝う。
8 絢飾な舞台衣装を着る。
9 今年は禾穎の生育がよい。
10 或問形式の文章にした。

解答
1 りょううん
2 いこう
3 きょうそく
4 とうせい
5 そうたく
6 こうじ
7 おうせん
8 けんしょく
9 かえい
10 わくもん

11 父親の生き方を畏怖している。
12 生き字引と言われる老爺に会う。
13 井蛙大海を知らず。
14 煙霞の景を画布に描く。
15 溢美の言葉は、ほどほどに。
16 常食として稲粟を栽培する。
17 結婚して姻戚関係になる。
18 火災で全財産が烏有に帰した。
19 東西のことを卯酉ともいう。
20 蔚蔚と雑草が生い茂る。

解答
11 いふ
12 ろうや
13 せいあ
14 えんか
15 いつび
16 とうぞく
17 いんせき
18 うゆう
19 ぼうゆう
20 うつうつ

21 彼の云為は一貫している。
22 何もせず荏苒と日を過ごす。
23 産声をあげた嬰児を抱く。
24 強固な堰堤を築く。
25 一瞥もくれずに立ち去った。
26 八人の甥姪が揃った。
27 押捺した受領証を渡す。
28 公園墓地が岡阜に広がる。
29 合掌造りの家屋がある邑落。
30 楓葉《ふうよう》荻花秋索索たり。
31 佳辰を選んで行事を催す。
32 仏徳を讃え歌唄をとなえる。
33 滑らかで光沢がある綾子の生地。
34 朝顔の花蕊に触れる。

21 うんい
22 じんぜん
23 えいじ
24 えんてい
25 いちべつ
26 せいてつ
27 おうなつ
28 こうふ
29 ゆうらく
30 てきか
31 かしん
32 かばい
33 りんず
34 かずい

35 養殖魚を網で掬う。
36 木槌で砧を打つ。
37 僧が笈を背負って行脚する。
38 人として矩を越えてはならない。
39 沓石で巨大な柱を支えている。
40 姑く待って様子を見よう。
41 政治家は巷の声を聞くべきだ。
42 海岸で海苔を漉く。
43 狛犬は社殿の正面にある。
44 榊はツバキ科の常緑樹。
45 屋根の雪が溶けて雫が垂れる。
46 内容を悉に調べる。
47 蔀を上げて辺りを窺う。
48 お呪いをして災難を追い払う。

35 すく
36 きぬた
37 おい
38 のり
39 くついし
40 しばら
41 ちまた
42 す
43 こまいぬ
44 さかき
45 しずく
46 つぶさ
47 しとみ
48 まじな

Bランク

読み①

目標時間 15分

合格ライン 39点

得点 ／48 月 日

● 次の傍線部分の読みを**ひらがな**で記せ。1～34は**音読み**、35～48は**訓読み**である。

1 一見怯夫だが、実は剛毅な男だ。
2 資金不足で計画が画餅に帰した。
3 凍傷で皮膚が壊死する。
4 先祖の冥福を祈り廻向を営む。
5 歴史認識に乾坤の違いがある。
6 朝菌は晦朔を知らず。
7 漢字を階梯から学ぶ。
8 砂丘で隔てられた潟湖の岸辺。
9 馨逸の名品に出会う。
10 妻の兄弟姉妹の男の子供を外甥という。

解答

1 きょうふ
2 がべい・がへい
3 えし
4 えこう
5 けんこん
6 かいさく
7 かいてい
8 せきこ
9 けいいつ
10 がいせい

11 葛衣は丈夫で水に耐える。
12 魚《うお》の釜中に遊ぶがごとし。
13 柑橘類を好んで食べる。
14 茅茨の家屋は少なくなった。
15 合格の通知に快哉を叫ぶ。
16 銀杏は葉の形から鴨脚ともいう。
17 巌頭に立ち、日の出を待つ。
18 人を翫弄してはなりません。
19 危殆に瀕した財政状況。
20 犯人を捕らえて鞠問する。

解答

11 かつい
12 ふちゅう
13 かんきつ
14 ぼうし
15 かいさい
16 おうきゃく
17 がんとう
18 がんろう
19 きたい
20 きくもん

21 急な転勤命令に吃驚した。
22 杵臼の交わりを大切にする。
23 川下りの舟が急灘にかかる。
24 一瞬の空隙を突く。
25 兇刃に倒れた政治家を悼む。
26 卿相は朝廷に仕えた貴族のこと。
27 日当たりのよい花圃を散策する。
28 暁闇に鶏の鳴き声を聞く。
29 欽定憲法と民定憲法。
30 縦十センチ横五センチの矩形の紙。
31 鶴九皐に鳴き、声天に聞こゆ。
32 彼女のネックレスは金無垢だ。
33 虞犯少年を家裁の審判に付す。
34 窃盗団の渠魁を捕らえた。

21 きっきょう
22 しょきゅう
23 きゅうだん
24 くうげき
25 きょうじん
26 けいしょう
27 かほ
28 ぎょうあん
29 きんてい
30 くけい
31 きゅうこう
32 きんむく
33 ぐはん
34 きょかい

35 美人として夙に有名な女性です。
36 裳裾をなびかせて踊る。
37 天然記念物になった椙の大木。
38 謄写版を使って摺る。
39 悲しみ戚む日々を送ってきた。
40 雨垂れ石を穿つ。
41 堆い資料の山から探し出す。
42 満月が巽の方角に出ている。
43 新商品の売れ行きが捗捗しくない。
44 日本一周旅行の夢が潰える。
45 馬の蹄は角質で硬い。
46 擢んでた才能を生かす。
47 門を杜いで謹慎とする。
48 海が凪いでから港を出る。

35 つと
36 もすそ
37 すぎ
38 す
39 いた
40 うが
41 うずたか
42 たつみ
43 はかばか
44 つい
45 ひづめ
46 ぬき
47 ふさ
48 な

Bランク

読み②

●次の傍線部分の読みを**ひらがな**で記せ。1～34は**音読み**、35～48は**訓読み**である。

目標時間 15分
合格ライン 39点
得点 ／48
月 日

1 夏の暑さは瘦軀につらい。
2 祁寒の地に旅する。
3 少女は慧敏で優しい性格だ。
4 自分の檮昧を恥じている。
5 己を信じ昂然と胸を張る。
6 記念切手を蒐集している。
7 狐狸妖怪が人をだます。
8 近所に胡乱な男が出没している。
9 駅舎は跨線橋の上にある。
10 鶏肋なので肉体労働はできない。

解答

1 そうく
2 きかん
3 けいびん
4 とうまい
5 こうぜん
6 しゅうしゅう
7 こり
8 うろん
9 こせんきょう
10 けいろく

11 責任をとって乞骸した。
12 老人性脊椎湾曲になっている。
13 五輪連覇の捷報に国民が沸く。
14 重要参考人として勾引した。
15 事実を歪曲した報道に憤る。
16 戦前の陸軍工廠があった場所。
17 七十年の烏兎を生きてきた。
18 弘誓の網で済度する。
19 窃盗グループの首魁を捕らえた。
20 溝渠に下水管を敷設した。

解答

11 きつがい
12 せきつい
13 しょうほう
14 こういん
15 わいきょく
16 こうしょう
17 うと
18 ぐぜい
19 しゅかい
20 こうきょ

21 紅蓮の炎が町を焼く。
22 山砦にこもって戦う。
23 大空襲で劫火にのまれた。
24 各派の領袖が一堂に会する。
25 彼は斯道の権威として有名な学者だ。
26 旅に出ると骨董品を漁っている。
27 些事にこだわると大局を見失う。
28 正門わきの閤から入る。
29 庭木で残蟬が鳴く。
30 親は子のために孜孜として働く。
31 豪宕をもって鳴る監督だ。
32 雌蕊が受粉して実となる。
33 ライオンの歯牙は強く鋭い。
34 自然薯入りの蕎麦を食べた。

21 ぐれん
22 さんさい
23 ごうか・こうか
24 りょうしゅう
25 しどう
26 こっとう
27 さじ
28 こう
29 ざんせん
30 しし
31 ごうとう
32 しずい
33 しが
34 じねんじょ

35 結果が出るまでは気も坐だ。
36 辞任を匂わせる発言だった。
37 上司の顔色を覗う。
38 狩りに備えて矢を矧ぐ。
39 庭には八重葎が生い茂っていた。
40 約束を守らなかったと誹られる。
41 瓢の器を酒の貯蔵に使う。
42 食事を蔑ろにすると健康を損なう。
43 篦を用いて糊を塗る。
44 鎧の背に幌をまとう。
45 街道が二つの俣に分かれていた。
46 穀物の殻を箕で分け除く。
47 弟が叱られて萎れている。
48 懐郷の念が弥増す日々だ。

35 そぞろ
36 にお
37 うかが
38 は
39 やえむぐら
40 そし
41 ひさご・ふくべ
42 ないがし
43 へら
44 ほろ
45 また
46 み
47 しお
48 いやま

B 読み②

B ランク

読み③

● 次の傍線部分の読みを**ひらがな**で記せ。1〜34は**音読み**、35〜48は**訓読み**である。

目標時間 15分
合格ライン 39点
得点 ／48
月 日

1 調度品を厨子にしまう。
2 手の甲にできた腫物がかゆい。
3 剣戟を収め和平した。
4 酒肴料を用意して宴席に向かう。
5 中国の古諺から出題する。
6 一族を束ねる酋領と会見する。
7 提示された疑問に対し論駁した。
8 日本語と通底する西諺も多い。
9 俊彦が輩出する大学だ。
10 本を書笈に入れて運ぶ。

解答
1 ずし
2 しゅもつ
3 けんげき
4 しゅこう
5 こげん
6 しゅうりょう
7 ろんばく
8 せいげん
9 しゅんげん
10 しょきゅう

11 嘗試を重ねて改良する。
12 廠舎で軍事訓練を行う。
13 五輪での連覇は光耀として不滅だ。
14 山海の珍味を賞翫する。
15 神祇をまつり舞楽を奏する。
16 両親は一人娘を鍾愛した。
17 句集を上梓し念願を果たす。
18 城柵が破られ敵の侵入を許す。
19 岡陵に城跡が残る。
20 板の間に尻坐して待つ。

解答
11 しょうし
12 しょうしゃ
13 こうよう
14 しょうがん
15 じんぎ
16 しょうあい
17 じょうし
18 じょうさく
19 こうりょう
20 こうざ

21 弁護人が証人に審訊した。
22 賞牌は一位から三位まで授与する。
23 祭礼で神輿を担ぎ出す。
24 召使いの男女を臣妾という。
25 辛酉とは干支の一つ。
26 こびるような妖姫の笑い。
27 いたずらをした子供を叱責する。
28 瑞雲が現れると、よいことがある。
29 中東情勢の趨向に目を離せない。
30 大女優の凄艶な演技に酔う。
31 恩師は従容として死に就いた。
32 厳しい修行を積み碩徳となる。
33 舌尖鋭く説きたてた。
34 まだ蟬脱の境には達しない。

21 しんじん
22 しょうはい
23 しんよ
24 しんしょう
25 しんゆう
26 ようき
27 しっせき
28 ずいうん
29 すうこう
30 せいえん
31 しょうよう
32 せきとく
33 ぜっせん
34 せんだつ

35 両雄は愈決戦の時を迎えた。
36 火の見櫓があった時代が懐かしい。
37 政治家への賂いを禁じている。
38 押されて歪になった箱。
39 細部に亘って慎重に検討した。
40 心の阿は明かさない。
41 美しい絢の絹を織る。
42 春向きの袷を仕立てる。
43 板の間を磨くには糠袋がよい。
44 あらく織ったむしろを菰という。
45 試験に落ちて夢が萎んだ。
46 水辺に荻の大群落があった。
47 昔は匁という貨幣単位があった。
48 井桁にかたどった紋所。

35 いよいよ
36 やぐら
37 まいない
38 いびつ
39 わた
40 くま
41 あや
42 あわせ
43 ぬかぶくろ
44 こも
45 しぼ
46 おぎ
47 もんめ
48 いげた

Bランク

読み④

目標時間 15分
合格ライン 39点
得点 ／48
月 日

● 次の傍線部分の読みをひらがなで記せ。1〜34は音読み、35〜48は訓読みである。

1 鼠輩のくせに生意気だ。
2 北前船の要津として栄えた町だ。
3 将軍の落胤として生まれた。
4 今後の計画について詮議する。
5 要人が何者かに狙撃された。
6 感動の揺曳が長く続いた。
7 姉が双頰に紅を差している。
8 大姦は忠に似たり
9 鉄桶水を漏らさず
10 乞巧祭会を執り行う。

解答
1 そはい
2 ようしん
3 らくいん
4 せんぎ
5 そげき
6 ようえい
7 そうきょう
8 たいかん
9 てっとう
10 きっこう

11 はるかに黛青の山々を望む。
12 近代詩の叢書が全巻完結した。
13 即位大嘗会が行われる。
14 鷹揚な人柄で友人が多い。
15 各地を托鉢して歩く修行僧。
16 彼女の手の内は知悉している。
17 叩門して屋敷の中に入った。
18 満月が巽位に出ている。
19 命《めい》旦夕に迫る
20 軒下に銅の鐸を吊す。

解答
11 たいせい
12 そうしょ
13 だいじょうえ
14 おうよう
15 たくはつ
16 ちしつ
17 こうもん
18 そんい
19 たんせき
20 たく

21 逐鹿の末、政権を手にした。
22 使い道のない樗材です。
23 鄭重なもてなしを受ける。
24 書き終えた原稿を劉覧する。
25 晩年の父は鎮咳剤を手離せなかった。
26 老いた母親の椿寿を祝う。
27 寺に入って剃度の式を行う。
28 牒状を送って裁きを求める。
29 音楽学校で律呂を学ぶ。
30 時勢に関する鼎談が新聞に載った。
31 社会事業に尽くし藍綬褒章を受ける。
32 筆が進まず草藁の段階だ。
33 一念発起して鉄杵を磨く。
34 長袖善く舞い、多銭善くあきなう

21 ちくろく
22 ちょざい
23 ていちょう
24 りゅうらん
25 ちんがいざい
26 ちんじゅ
27 ていど
28 ちょうじょう
29 りつりょ
30 ていだん
31 らんじゅ
32 そうこう
33 てっしょ
34 ちょうしゅう

35 バラ科の花は郁しい香りがする。
36 淫らで、だらしない人だ。
37 チャンスを窺いパスを回す。
38 悪事を掩い隠した罪を問う。
39 昔の農家には厩があった。
40 夜空に月が盈ちて明るい。
41 落石が谷川の水を堰く。
42 奄ち空が曇り雷鳴がとどろいた。
43 能楽で姥を演じる。
44 両親は鴛鴦のように仲睦まじい。
45 寺の襖に描かれた絵を鑑賞する。
46 けなされて気持ちが萎える。
47 部下の長年の功績を嘉する。
48 会場を蓋う熱気に圧倒された。

35 かぐわ
36 みだ
37 うかが
38 おお
39 うまや
40 み
41 せ
42 たちま
43 うば
44 おしどり
45 ふすま
46 な
47 よみ
48 おお

C ランク

読み①

目標時間 15分

合格ライン 39点

得点 /48

月 日

● 次の傍線部分の読みを**ひらがな**で記せ。1〜34は**音読み**、35〜48は**訓読み**である。

1 行事の注意事項を塡足する。
2 董狐の筆に倣い真実を書き記す。
3 得か損かを天秤にかける。
4 遁辞を弄して逃げ隠れはしない。
5 出世した同僚に妬心を抱く。
6 杜漏な登山計画が遭難の原因だ。
7 心身を砥礪し技を極める。
8 沖合に投錨し指示を待つ。
9 棺に天蓋をかざす。
10 蓄えを蕩尽し家産を傾けた。

解答

1 てんそく
2 とうこ
3 てんびん
4 とんじ
5 としん
6 ずろう
7 しれい
8 とうびょう
9 てんがい
10 とうじん

11 銅壺で沸かした湯を飲む。
12 うわべを飾らない敦朴な人柄だ。
13 マクワウリの漢名を甜瓜という。
14 多くの人を呑吐するターミナル駅。
15 薙髪して尼になる。
16 秋野菜の播種期を迎えた。
17 公約に背馳して信用を落とす。
18 収穫した米を秤量する。
19 晴天の日をえらび曝書した。
20 日焼けした肌膚のスポーツマン。

解答

11 どうこ
12 とんぼく
13 てんか
14 どんと
15 ちはつ・ていはつ
16 はしゅ
17 はいち
18 しょうりょう・ひょうりょう
19 ばくしょ
20 きふ

C 読み①

21 論敵の発言に駁する。
22 耳を聾する大爆発が起こった。
23 美濃紙を半帖用意する。
24 無痛分娩で出産した。
25 挽歌は万葉集の部立ての一つである。
26 菱花はヒシ科の一年草。
27 コラムの筆鋒に勢いがある。
28 祖先の霊を廟堂にまつる。
29 瓶子に酒を入れて注ぐ。
30 ダイヤモンドは不壊の金属だ。
31 職業として舞妓の道を選ぶ。
32 各地に残る葺屋を描いている。
33 松や杉などを汎称して針葉樹と呼ぶ。
34 罪人を焚刑に処す。

21 ばく
22 ろう
23 はんじょう
24 ぶんべん
25 ばんか
26 りょうか
27 ひっぽう
28 びょうどう
29 へいじ・へいし
30 ふえ
31 ぶぎ
32 しゅうおく
33 はんしょう
34 ふんけい

35 毎月朔の墓参を欠かさない。
36 疲れ果てて顎を出す。
37 葛縄で固く縛る。
38 妹は叶わぬ夢ばかり追っている。
39 蒲の花粉は薬用として使う。
40 対戦相手の勢いに怯む。
41 捕った魚を鬻いで暮らす。
42 沫雪が降っては消える。
43 女三人寄れば姦しいとやゆされた。
44 人の気持ちを翫ぶ嫌な人だ。
45 彼女は頑に心を閉ざしてしまった。
46 謬った情報が伝達された。
47 お土産に黍餅を買う。
48 ロマン派の流れを汲む作曲家。

35 ついたち
36 あご
37 かずらなわ
38 かな
39 がま
40 ひる
41 ひさ
42 あわゆき
43 かしま
44 もてあそ
45 かたくな
46 あやま
47 きびもち
48 く

C ランク

読み②

目標時間 15分

合格ライン 39点

得点 ／48 月 日

● 次の傍線部分の読みをひらがなで記せ。1～34は音読み、35～48は訓読みである。

1 菊の芳馨に包まれた展示会。
2 隣国の併呑をもくろむ。
3 頁岩は板状で柔らかい。
4 都から僻遠の地に配流された。
5 卒業式で答辞を捧読した。
6 夜行列車が辺邑の駅に着く。
7 古文書の補綴作業に携わっている。
8 没義道な振る舞いを非難する。
9 臣下が輔弼の任に当たる。
10 戊夜に初詣でをする。

解答
1 ほうけい
2 へいどん
3 けつがん
4 へきえん
5 ほうどく
6 へんゆう
7 ほてい・ほてつ
8 もぎどう
9 ほひつ
10 ぼや

11 宮殿の庖厨で働く料理人。
12 あまりにも偏頗な処遇の仕方だ。
13 母から烹煎の基本を教わる。
14 国家が紛擾状態に陥った。
15 反乱軍が蜂起する。
16 釣り舟が湊泊していた。
17 防諜機関に情報を提供した。
18 来年の運勢を卜占する。
19 山から老杉を伐り出す。
20 顔色を変え勃如として席を立つ。

解答
11 ほうちゅう
12 へんぱ・へんば
13 ほうせん
14 ふんじょう
15 ほうき
16 そうはく
17 ぼうちょう
18 ぼくせん
19 ろうさん
20 ぼつじょ

21 一億円の損失を税金で補塡した。
22 友人の身の上を憐察する。
23 薄地の繭紬は美しい織物だ。
24 農作物の豊稔を祈る神事を行う。
25 蓑笠で雨をしのぐ。
26 融通無碍でよどみがない。
27 矛戟は両刃の剣に長い柄がある。
28 教育者として冥利に尽きる。
29 鼠のことを「梁上の君子」ともいう。
30 鳴禽を飼い鳴き声を楽しむ。
31 待望の儲君が誕生した。
32 夜叉のように恐ろしい人。
33 厭戦気分が弥漫している。
34 唯唯として反抗したことがない。

21 ほてん
22 れんさつ
23 けんちゅう
24 ほうじん
25 さりゅう
26 むげ
27 ぼうげき
28 みょうり
29 りょうじょう
30 めいきん
31 ちょくん
32 やしゃ
33 びまん
34 いい

35 もぐさで灸をすえる。
36 鋸鮫は軟骨魚の仲間である。
37 父は過ちを恕してくれた。
38 タオルで汗を拭う。
39 不気味な物音に怯える。
40 漢籍を少し嚙ったことがある。
41 寒くてコートの衿を立てた。
42 僧が鉦を叩き経を唱える。
43 支持を失い枕を並べて落選した。
44 畦道にタンポポが咲いている。
45 彼の半生は荊の道だった。
46 溺れた人が人工呼吸で蘇った。
47 仕事の隙を見つけて散歩する。
48 思い倦んで両親に助けを求めた。

35 やいと
36 のこぎりざめ
37 ゆる
38 ぬぐ
39 おび
40 かじ
41 えり
42 かね
43 まくら
44 あぜみち
45 いばら
46 よみがえ
47 すき
48 あぐ

C ランク

読み③

● 次の傍線部分の読みをひらがなで記せ。1〜34は音読み、35〜48は訓読みである。

目標時間 15分
合格ライン 39点
得点 ／48
月 日

1 三者鼎立して譲らない。
2 憾怨を晴らす時がきた。
3 彼女の凋残した姿が痛々しい。
4 鮭は産卵のため川を遡上する。
5 還暦を過ぎ蠅頭細書の本は苦手だ。
6 神社に詣拝し合格を祈る。
7 穎異の人として尊敬を集めている。
8 単調な暮らしに倦厭した。
9 長編小説を耽読する。
10 芙蓉には美人の形容の意もある。

解答
1 ていりつ
2 かんえん
3 ちょうざん
4 そじょう
5 ようとう
6 けいはい
7 えいい
8 けんえん
9 たんどく
10 ふよう

11 聯亙する銀嶺に朝日が光る。
12 心から罪を悔い宥恕を乞う。
13 事故で子を喪い哀咽する。
14 弄舌な男が珍しく黙り込んだ。
15 昔、繭糸の加工で栄えた町だ。
16 専門家と比べても遜色がない。
17 掌篇だが訴える力がある文章だ。
18 禾穂が実る秋を迎えた。
19 生気が横溢し若々しい。
20 剣と鉄楯を武器とした時代。

解答
11 れんこう
12 ゆうじょ
13 あいえつ
14 ろうぜつ
15 けんし
16 そんしょく
17 しょうへん
18 かすい
19 おういつ
20 てつじゅん

21 叩頭して感謝の祈りを捧げた。
22 野狐の影にとりつかれる。
23 湿布薬を貼用する。
24 兜巾を被った修験者が山道を行く。
25 早朝に抜錨し出航した。
26 亀裂が生じない靫性のある材料。
27 役所の允可を得る。
28 どちらかといえば玩読派だ。
29 恩師に研究論文の斧正を請う。
30 ついに鋒鏑を交えるに至った。
31 彼とは爾汝の間柄だ。
32 縞素を着て葬儀に参列する。
33 富士登山は翠微にかかった。
34 祖母は竈神に祈り薪をくべた。

21 こうとう
22 やこ
23 ちょうよう
24 ときん
25 ばつびょう
26 じんせい
27 いんか
28 がんどく
29 ふせい
30 ほうてき
31 じじょ
32 こうそ
33 すいび
34 そうしん

35 釣り船の舷に腰を掛ける。
36 虎斑のある石を見つけた。
37 御伽噺の世界にひたる。
38 発売したら忽ち売り切れた。
39 甲子の夜に大黒天をまつる。
40 城の周りに壕を巡らす。
41 玄関の前で頃く待つ。
42 勾玉は古代日本の装身具だった。
43 怒りの捌け口がない。
44 庭園の四阿で休憩する。
45 御簾を隔てて高座を覗く。
46 互いの健闘を讃え合う。
47 絶好のチャンスを悉く逃す。
48 蕊は花の生殖器官である。

35 ふなばた
36 とらふ
37 おとぎばなし
38 たちま
39 きのえね
40 ほり
41 しばら
42 まがたま
43 は
44 あずまや
45 みす
46 たた
47 ことごと
48 しべ

C ランク

読み④

目標時間 15分

合格ライン 39点

得点 ／48 月 日

● 次の傍線部分の読みを**ひらがな**で記せ。1～30は**音読み**、31～48は**訓読み**である。

1 漏壺は水時計の主要な部分だ。
2 肇国の歴史について学ぶ。
3 遊居して厚く養うは牟食の民なり。
4 次々と火箭が城内に射込まれた。
5 両者の間には劃然たる差がある。
6 上巳の祝いで雛人形を飾る。
7 遥碧に白い雲が浮かんでいる。
8 湛湛と湧水を湛えた池がある。
9 割烹料理を食べに行く。
10 紡績紬には綿糸や紬紡糸を用いる。

解答

1 ろうこ
2 ちょうこく
3 ぼうしょく
4 かせん
5 かくぜん
6 じょうし
7 ようへき
8 たんたん
9 かっぽう
10 ちゅうぼうし

11 堆朱の椀を購入する。
12 お堂の中を拭浄する。
13 経書の註疏を著した。
14 古都で名妓の舞を堪能した。
15 叡智あふれる人物を求める。
16 肥沃な土で農作物を育てる。
17 彼は尖鋭な思想の持ち主だ。
18 沢で掬水し顔を洗う。
19 胃に潰瘍の跡が見られた。
20 之字路を小一時間ほど歩く。

解答

11 ついしゅ・たいしゅ
12 しょくじょう
13 ちゅうそ
14 めいぎ
15 えいち
16 ひよく
17 せんえい
18 きくすい
19 かいよう
20 しじろ

21 母の緩頬を煩わし事なきを得る。
22 丙寅の日に発向と令せられた。
23 衆人は或或たり、好悪意に積む。
24 人生相見ざること参商の如し。
25 畦丁が鍬取る手を休めて佇《たたず》む。
26 昔ながらの釜甑で米を蒸す。
27 彼との間に何か云云(云々)があるようだ。
28 任(仁)俠の世界に足を踏み入れる。
29 全て酒公の物だと大声を上げた。
30 境内に禰宜の鳴らす柏手が響く。
31 冬になると何故だか気が苑がる。
32 大鰭に出られても動じない。
33 裏鬼門の坤に念誦《ねんじゅ》堂を建てる。
34 笥子のうつわ物に盛りけり。

21 かんきょう
22 へいいん
23 わくわく
24 しんしょう
25 けいてい
26 ふそう
27 うんぬん
28 にんきょう
29 だいこう
30 ねぎ
31 ふさ
32 おおひれ・おおびれ
33 ひつじさる
34 けこ・けご

35 一頭地を擢く人気の老舗だ。
36 霊験灼とされる護符を壁に貼る。
37 古を稽え、その道を楽しむ。
38 思いて学ばざれば則ち殆し。
39 浅葱の浴衣を着て祭りに行く。
40 エアコンが故障して空気が澱む。
41 塘の周りには遊歩道がある。
42 負傷した足首を庇って歩く。
43 盆の迎え火に苧殻を用意する。
44 桃の実が鴇色に育ってきた。
45 熊笹で笹舟を作る。
46 •韓紅の椿が咲き誇る。
47 自ら靖んじ、自ら献ずる。
48 •虹鱒を川へ放流する。

35 ぬ
36 あらたか
37 かんが
38 あやう
39 あさぎ
40 よど
41 つつみ
42 かば
43 おがら
44 ときいろ
45 ささぶね
46 からくれない
47 やす
48 にじます

C 読み④

C ランク

読み⑤

目標時間 15分

合格ライン 39点

得点 ／48 月 日

● 次の傍線部分の読みをひらがなで記せ。

1 お椀に漆を塗って艶を出す。
2 傲慢で思い上がった態度をとる。
3 京都にある古刹を訪れる。
4 哺乳動物の化石が発見される。
5 たとえが明白な直喩表現。
6 嗅覚は五感の一つである。
7 愚かな過去を思い出しては自嘲する。
8 名誉毀損で訴える。
9 英語の基本的な語彙を学ぶ。
10 恣意的判断で方針を決定する。

解答

1 つや
2 ごうまん
3 こさつ
4 ほにゅう
5 ちょくゆ
6 きゅうかく
7 じちょう
8 きそん
9 ごい
10 しい

11 食べ物のにおいを嗅ぐ。
12 恐ろしい風貌に戦慄した。
13 西欧の暮らしに憧憬する。
14 数人を拉致して逃亡する。
15 真摯な取り組みが評価される。
16 曖昧な返答でお茶を濁す。
17 丁寧な挨拶文を楷書でしたためる。
18 全てを完璧に成し遂げようとする。
19 胃潰瘍を患う。
20 便箋を封筒に入れる。

解答

11 か
12 せんりつ
13 しょうけい・どうけい
14 らち
15 しんし
16 あいまい
17 かいしょ
18 かんぺき
19 いかいよう
20 びんせん

21 緻密な策略を企てる。
22 自分の有様に羞恥心を覚える。
23 知人の訃報を受ける。
24 数百年前に詠まれた俳諧。
25 貪欲に知識を吸収する。
26 捕まる寸前で踪跡をくらませた。
27 悪辣な手法で糾弾される。
28 禁錮の刑に処される。
29 丼勘定では経営が危ぶまれる。
30 傲岸不遜な態度で孤立する。
31 各地の名刹を収めた写真集。
32 含哺鼓腹の豊かな生活を送る。
33 暗喩を使って表現する。
34 嗅細胞がにおいの分子を受け取る。

21 ちみつ
22 しゅうちしん
23 ふほう
24 はいかい
25 どんよく
26 そうせき
27 あくらつ
28 きんこ
29 どんぶり
30 ごうがん
31 めいさつ
32 がんぽ
33 あんゆ
34 きゅうさいぼう

35 人が失敗するたびに嘲笑する。
36 意図的に文書を毀棄する。
37 月別の彙報を発表する。
38 彼の恣行に振り回される。
39 現在の状況に疑惧の念を抱く。
40 被害の甚大さに慄然とする。
41 土用の日に鰻丼を食べる。
42 気持ちに少しも摯実なところがない。
43 曖曖たる日の光の中、ぼんやりする。
44 楷式を知り、それに学ぶ。
45 祭祀用に使われていた璧が出土する。
46 腫瘍を手術で摘出する。
47 巧緻な文章で書かれた小説。
48 月に嘲り、風にあざむくこと絶えず。

35 ちょうしょう
36 きき
37 いほう
38 しこう
39 ぎぐ
40 りつぜん
41 どん
42 しじつ
43 あいあい
44 かいしき
45 へき
46 しゅよう
47 こうち
48 あざけ

A
ランク

表外の読み①

目標時間 15分
合格ライン 39点
得点 ／48
月　日

●次の傍線部分は常用漢字である。その**表外の読み**を**ひらがな**で記せ。

1 軍人が権力を縦にした時代があった。
2 夫婦で具に辛酸をなめる。
3 仏壇を設え、盆供養を行う。
4 仕事に託けて家庭を顧みない。
5 出張中の列車内で適知人に会った。
6 合併で歴史に因んだ地名が消えた。
7 脚本の筋立ては概ね組まれている。
8 不正行為を強く詰る。
9 件の弁護士がテレビ出演していた。
10 両雄相見える決戦の日。

解答
1 ほしいまま
2 つぶさ
3 しつら
4 かこつ
5 たまたま
6 ちな
7 おおむ
8 なじ
9 くだん
10 まみ

11 放蕩の末、やっと現に返る。
12 用語に詳しい辞書を購う。
13 邪な愛に苦しむ。
14 沢の水辺に蛍が集く。
15 スターへの道の緒となった映画だ。
16 事件の経緯を徐に話し始めた。
17 彼女に、ほんの少しでも肖りたい。
18 手厚いもてなし、辱く存じます。
19 再発した癌の転移に戦く。
20 同期生の粗全員が集まった。

解答
11 うつつ
12 あがな
13 よこしま
14 すだ
15 いとぐち
16 おもむろ
17 あやか
18 かたじけな
19 おのの
20 ほぼ

21 態と意地悪な言葉を浴びせる。
22 走った翌日は筋肉に凝りがある。
23 予ての方針どおり実行に移す。
24 コンビニの前に若者が屯している。
25 家族揃って昼食を認めた。
26 ご協力のほど偏にお願い致します。
27 不景気だが、某かの利益はある。
28 少数派に与して言論活動を行う。
29 年老いた人の心情を慮る。
30 気丈な母が珍しく愚痴を零した。
31 奉仕活動の学生たちを労う。
32 小さなミスを論って責める。
33 腰帯を扱いて締める。
34 卒業以来、十年の歳月を閲した。

21 わざ
22 しこ
23 かね
24 たむろ
25 したた
26 ひとえ
27 なにがし
28 くみ
29 おもんぱか
30 こぼ
31 ねぎら
32 あげつら
33 しご
34 けみ

35 平安貴族が用いた雅やかな衣装。
36 奥の院へ続く長い階を上る。
37 制度を実状に沿って革めた。
38 神の前に額ずき家族の無事を祈る。
39 腰が括れた逆三角形の上体。
40 我が身の不運を憾む。
41 話しかけても頑に黙りこむ。
42 不注意で電柱に頭を強かぶつけた。
43 悪知恵に長けて世渡りがうまい。
44 時間を惜しんで勉学に勤しむ。
45 いつも賢しら顔で口を挟む男だ。
46 先制のゴールで相手の気勢を殺ぐ。
47 餅がのどに支えて苦しい。
48 企業合併の真意を質す。

35 みやび
36 きざはし
37 あらた
38 ぬか
39 くび
40 うら
41 かたくな
42 したた
43 た
44 いそ
45 さか
46 そ
47 つか
48 ただ

A ランク

表外の読み②

目標時間 15分

合格ライン 39点

得点 ／48 月 日

● 次の傍線部分は常用漢字である。その**表外の読み**を**ひらがな**で記せ。

1 腰を屈めて芋を掘る。
2 祖母の長命を寿ぐ。
3 寄って集っていじめていた。
4 温めた野菜は、よく熟れる。
5 亡き主君に殉う。
6 年金業務を掌る役所。
7 仕事がはかどらず焦れている。
8 約束を守らず、剰え姿を消した。
9 我が家は築五十年に垂とする。
10 泥酔して大声で叫ぶ族は迷惑だ。

解答

1 かが
2 ことほ
3 たか
4 こな
5 したが
6 つかさど
7 じ
8 あまつさ
9 なんなん
10 やから

11 提示された条件を諾うことにした。
12 丹塗りの鳥居をくぐる。
13 暮れ泥む港町に船が着く。
14 待合室で転た寝をしてしまった。
15 友人の仕事の伝を頼る。
16 研究発表会の殿を務める。
17 汗に塗れて練習に励む。
18 動もすると同情論に傾きやすい。
19 カナリアを番いで飼う。
20 噂は普く知れ渡っている。

解答

11 うべな
12 に
13 なず
14 うた
15 つて
16 しんがり
17 まみ
18 やや
19 つが
20 あまね

A

表外の読み②

21 天子が宮殿の陛に現れた。
22 学生としての立場を弁える。
23 時方に桜花舞う春だ。
24 当方で万相談承ります。
25 休日の朝は漫ろ歩きを楽しむ。
26 ズボンの丈を約めてもらう。
27 老いの遊びで歌を詠む。
28 予めご了承ください。
29 大統領に亜ぐ地位の人。
30 愛娘が成人式を迎えた。
31 ニュースを委しく解説する。
32 能楽で尉を演じる。
33 大きな文字で使い易い辞書だ。
34 かすかな衣擦れの音がする。

21 きざはし
22 わきま
23 まさ
24 よろず
25 そぞ
26 つづ
27 すさ
28 あらかじ
29 つ
30 まな
31 くわ
32 じょう
33 やす
34 きぬ

35 春の到来が一入待ち遠しい。
36 血気に逸る若者が山車をひく。
37 月が円かになってきた。
38 彼には何の科もない。
39 悪事を隠し果せるものではない。
40 一瞬、心を過る不安があった。
41 絡まった凧糸を解す。
42 幼児を拐す事件が絶えない。
43 煮た里芋の滑りがおいしい。
44 仏像好きには堪えられない特集だ。
45 寛いだ雰囲気で食事をした。
46 不況続きで将来の生活を患える。
47 資産を尽く使い果たす。
48 奇しくも彼女と同じ誕生日だった。

35 しお
36 はや
37 まど
38 とが
39 おお
40 よぎ
41 ほぐ
42 かどわか
43 ぬめ
44 こた
45 くつろ
46 うれ
47 ことごと
48 く

B ランク

表外の読み①

目標時間 15分

合格ライン 39点

得点 ／48 月 日

● 次の傍線部分は常用漢字である。その**表外の読み**を**ひらがな**で記せ。

1 自慢の腕を揮い料理する。
2 梅擬の花が咲いた。
3 禍福は糾える縄のごとし。
4 裏金操作の実態を糾す。
5 地域住民挙って清掃活動を行う。
6 ミステリー小説を読み漁る。
7 道路の凹凸をローラーで均す。
8 偶近所で顔を合わせることがある。
9 勲を立てて階位が上がった。
10 砂漠を徒で旅する。

解答
1 ふる
2 もどき
3 あざな
4 ただ
5 こぞ
6 あさ
7 なら
8 たまたま
9 いさお
10 かち

11 龍馬《りょうま》が脱藩する件を述べた文だ。
12 老夫婦の倹やかな暮らし。
13 妙に謙った言い方が鼻につく。
14 悲喜交の思いで卒業の日を迎えた。
15 子は親に効って育つものだ。
16 昔の好で無理な頼みごとをする。
17 提示された金額で肯うことにした。
18 台風の接近で強い風が吹き荒む。
19 項が美しい艶やかな女性だ。
20 獄中から無実を訴え、号ぶ。

解答
11 くだり
12 つづま
13 へりくだ
14 こもごも
15 なら
16 よしみ
17 うべな
18 すさ
19 うなじ
20 さけ

21 幼少期は病弱で学校も数休んだ。
22 杖《よ》るは信に如くはなし。
23 少しの事を気に病む質だ。
24 暴行の廉を以て拘引された。
25 掌を返すが如く態度を変える。
26 血縁によらず賢人に帝位を禅る。
27 鉦を何度も打打と鳴らす。
28 必死で働いて借金は幾ど返した。
29 この困難を克く乗り越えた。
30 庶の人が花見を楽しむ。
31 功を称えて石碑が建てられた。
32 畏くも至尊の御賞美を被った。
33 心が寛く誰からも慕われる。
34 法に遵って裁く。

21 しばしば
22 し
23 たち
24 かど
25 たなごころ
26 ゆず
27 ちょうちょう
28 ほとん
29 よ
30 もろもろ
31 たた
32 かしこ
33 ひろ
34 したが

35 投票用紙に候補者の名を署す。
36 運動会には諸の賞品を用意する。
37 本屋へ行く序でにコンビニへ寄る。
38 老人を尚ぶ教育を行う。
39 宴席に侍り酌をする。
40 交渉の経緯を詳らかに説明した。
41 ハートを象ったチョコレート。
42 せせらぎの音が清かに聞こえる。
43 父は経済関係の法律に精しい。
44 利益を斉しく分配する。
45 敵軍の状勢を斥う。
46 直向きな演説が聴衆の心を打った。
47 背中に創のあとが残っている。
48 式典を荘かに執り行う。

35 しる
36 もろもろ
37 つい
38 たっと・とうと
39 はべ
40 つまび
41 かたど
42 さや
43 くわ
44 ひと
45 うかが
46 ひた
47 きず
48 おごそ

Bランク

表外の読み②

目標時間 15分
合格ライン 39点
得点 ／48
月　日

● 次の傍線部分は常用漢字である。その**表外の読み**を**ひらがな**で記せ。

1 湖面に枯葉がひと枚舞い落ちた。
2 家を斉え、国を治める。
3 簡単に騙《だま》されるほど初ではない。
4 男に金を嚇し取られた。
5 村の長を中心に農業を営む。
6 心の裏からそう思う。
7 固いクラッカーが唾液で潤びる。
8 国民生活の向上に力める。
9 芳しい梅の香が漂ってくる。
10 美しさを薔薇《ばら》の花に準える。

解答
1 ひら
2 ととの
3 うぶ
4 おど
5 おさ
6 うち
7 ほと
8 つと
9 かぐわ
10 なぞら

11 月の光が地上を周く照らす。
12 十五夜の月見に薄を飾る。
13 電話の着信を報せる音がする。
14 席の上で子供が飯事をしている。
15 痛わしい事件が起きる。
16 臣下が主君を翼けるのは当然だ。
17 疑問は都て解決された。
18 速さより寧ろ正確さを求める。
19 なぜか体が熱って眠れない。
20 妄りに人の言葉を信じない。

解答
11 あまね
12 すすき
13 しら
14 むしろ
15 いた
16 たす
17 すべ
18 むし
19 ほて
20 みだ

21 破れるような拍手に包まれた。
22 世界記録に比ぶ力を持つ選手だ。
23 松尾芭蕉《ばしょう》の句を刻んだ碑。
24 神棚に標を張り新年を迎えた。
25 布袋は七福神の一人である。
26 骨折した部分に副え木をあてる。
27 公務員として四十年事えた。
28 屁を放って尻窄める。
29 法の道に帰依する。
30 努努疎かにすることなかれ。
31 能う限りの力を尽くす。
32 ずっと鬱いでいるように見える。
33 庭の木々が風に戦ぎ立つ。
34 標準と校べ若干精度が劣る。

21 わ
22 なら
23 いしぶみ
24 しめ
25 ほてい
26 そ
27 つか
28 ひ
29 のり
30 ゆめゆめ
31 あた
32 ふさ
33 そよ
34 くら

35 上京の折りは何分宜しく負む。
36 我親ら千人の垢を去らん。
37 隠し続けてきた秘密を発かれる。
38 出陣の際には軍神を斎き祀《まつ》る。
39 自然の力に抗うことは難しい。
40 故に厳しくした訳ではない。
41 異国の地で孤独に苛まれる。
42 母と話して幾分心が和いだ。
43 古式に則り天守閣を再建する。
44 御仏に蓮の台へと導かれる。
45 抹香を撮み香炉に落とす。
46 濃やかな人情を描いた作品だ。
47 この目で確と見て参る。
48 事件の真相を審らかにする。

35 たの
36 みずか
37 あば
38 いつ
39 あらが
40 ことさら
41 さいな
42 な
43 のっと
44 うてな
45 つま
46 こま
47 しか
48 つまび

A ランク 熟語の読み・一字訓読み

目標時間 20分

合格ライン 53点

得点 ／66

月　日

● 次の**熟語**の**読み**と、その**語義**にふさわしい**訓読み**を（送りがなに注意して）**ひらがな**で記せ。

〈例〉健勝……勝れる → けんしょう　すぐ

ア 1 礪行……2 礪く

イ 3 肇国……4 肇める

ウ 5 劃定……6 劃る

エ 7 鳩合……8 鳩める

オ 9 郁郁……10 郁しい

カ 11 優渥……12 渥い

解答

1 れいこう　2 みが（く）

3 ちょうこく　4 はじ（める）

5 かくてい　6 くぎ（る）

7 きゅうごう　8 あつ（める）

9 いくいく　10 かぐわ（しい）

11 ゆうあく　12 あつ（い）

キ 13 晦蔵……14 晦い

ク 15 永訣……16 訣れる

ケ 17 趨向……18 趨く

コ 19 遡行……20 遡る

サ 21 遁辞……22 遁れる

シ 23 鍾愛……24 鍾める

ス 25 窺見……26 窺く

解答

13 かいぞう　14 くら（い）

15 えいけつ　16 わか（れる）

17 すうこう　18 おもむ（く）

19 そこう　20 さかのぼ（る）

21 とんじ　22 のが（れる）

23 しょうあい　24 あつ（める）

25 きけん　26 のぞ（く）

セ 27 嬰鱗　28 嬰れる
ソ 29 欠盈　30 盈ちる
タ 31 •臆度　32 •臆る
チ 33 酔臥　34 臥す
ツ 35 阻碍　36 碍げる
テ 37 編輯　38 輯める
ト 39 歎賞　40 歎える
ナ 41 •綻裂　42 •綻びる
ニ 43 曝涼　44 曝す
ヌ 45 •汎渉　46 •汎い

27 えいりん　28 ふ(れる)
29 けつえい　30 み(ちる)
31 おくたく　32 おしはか(る)
33 すいが　34 ふ(す)
35 そがい　36 さまた(げる)
37 へんしゅう　38 あつ(める)
39 たんしょう　40 たた(える)
41 たんれつ　42 ほころ(びる)
43 ばくりょう　44 さら(す)
45 はんしょう　46 ひろ(い)

ネ 47 匡弼　48 弼ける
ノ 49 捧腹　50 捧える
ハ 51 鍛•冶　52 •冶る
ヒ 53 輿望　54 輿い
フ 55 瀆職　56 瀆す
ヘ 57 苦諫　58 諫める
ホ 59 沈毅　60 毅い
マ 61 淳化　62 淳い
ミ 63 謬説　64 謬る
ム 65 •羞悪　66 悪む

47 きょうひつ　48 たす(ける)
49 ほうふく　50 かか(える)
51 たんや　52 い(る)
53 よぼう　54 おお(い)
55 とくしょく　56 けが(す)
57 くかん　58 いさ(める)
59 ちんき　60 つよ(い)
61 じゅんか　62 あつ(い)
63 びゅうせつ　64 あやま(る)
65 しゅうお　66 にく(む)

B ランク 熟語の読み・一字訓読み①

● 次の**熟語**の**読み**と、その**語義**にふさわしい**訓読み**を（送りがなに注意して）**ひらがな**で記せ。

〈例〉健勝……勝れる → けんしょう／すぐ

ア 1 按摩……2 按える
イ 3 允可……4 允す
ウ 5 掩蓋……6 掩う
エ 7 艶冶……8 艶かしい
オ 9 恢達……10 恢い
カ 11 魁傑……12 魁きい

解答
1 あんま 2 おさ（える）
3 いんか 4 ゆる（す）
5 えんがい 6 おお（う）
7 えんや 8 なまめ（かしい）
9 かいたつ 10 ひろ（い）
11 かいけつ 12 おお（きい）

キ 13 翫弄……14 翫ぶ
ク 15 膏沃……16 膏える
ケ 17 轟音……18 轟く
コ 19 大捷……20 捷つ
サ 21 穣歳……22 穣る
シ 23 訊責……24 訊う
ス 25 勃爾……26 勃かに

解答
13 がんろう 14 もてあそ（ぶ）
15 こうよく 16 こ（える）
17 ごうおん 18 とどろ（く）
19 たいしょう 20 か（つ）
21 じょうさい 22 みの（る）
23 じんせき 24 と（う）
25 ぼつじ 26 にわ（かに）

目標時間 20分
合格ライン 53点
得点 ／66
月 日

セ 27 偏頗 …… 28 頗る

ソ 29 棲息 …… 30 棲む

タ 31 •戚容 …… 32 •戚える

チ 33 峻嶺 …… 34 峻い

ツ 35 狼戻 …… 36 戻る

テ 37 赫烈 …… 38 赫く

ト 39 凋零 …… 40 凋む

ナ 41 暢茂 …… 42 暢びる

ニ 43 抜擢 …… 44 擢く

ヌ 45 •頓•挫 …… 46 •頓く

27 へんぱ　28 かたよ(る)
29 せいそく　30 す(む)
31 せきよう　32 うれ(える)
33 しゅんれい　34 たか(い)
35 ろうれい　36 もと(る)
37 かくれつ　38 かがや(く)
39 ちょうれい　40 しぼ(む)
41 ちょうも　42 の(びる)
43 ばってき　44 ぬ(く)
45 とんざ　46 つまず(く)

ネ 47 押捺 …… 48 捺す

ノ 49 稗官 …… 50 稗かい

ハ 51 匡弼 …… 52 匡す

ヒ 53 愛撫 …… 54 撫でる

フ 55 蕪雑 …… 56 蕪れる

ヘ 57 葺屋 …… 58 葺く

ホ 59 一瞥 …… 60 瞥る

マ 61 侮•蔑 …… 62 •蔑ろ

ミ 63 烹炊 …… 64 烹る

ム 65 •頃刻 …… 66 •頃く

47 おうなつ　48 お(す)
49 はいかん　50 こま(かい)
51 きょうひつ　52 ただ(す)
53 あいぶ　54 な(でる)
55 ぶざつ　56 あ・みだ(れる)
57 しゅうおく　58 ふ(く)
59 いちべつ　60 み(る)
61 ぶべつ　62 ないがし(ろ)
63 ほうすい　64 に(る)
65 けいこく・きょうこく　66 しばら(く)

B ランク

熟語の読み・一字訓読み②

目標時間 20分

合格ライン 53点

得点 ／66　月　日

●次の**熟語**の**読み**と、その**語義**にふさわしい**訓読み**を（送りがなに注意して）**ひらがな**で記せ。

〈例〉健勝……勝れる → けんしょう ／ すぐ

ア 1 畢生……2 畢わる

イ 3 斡流……4 斡る

ウ 5 蒐荷……6 蒐める

エ 7 禦侮……8 禦ぐ

オ 9 •賂遺……10 •賂う

カ 11 蕃殖……12 蕃る

解答

1 ひっせい　2 お（わる）
3 あつりゅう　4 めぐ（る）
5 しゅうか　6 あつ（める）
7 ぎょぶ　8 ふせ（ぐ）
9 ろい　10 まいな（う）
11 はんしょく　12 しげ（る）

キ 13 靱性……14 靱やか

ク 15 兇刃……16 兇い

ケ 17 亨運……18 亨る

コ 19 穎悟……20 穎れる

サ 21 紛擾……22 擾れる

シ 23 凱風……24 凱らぐ

ス 25 董督……26 董す

解答

13 じんせい　14 しな（やか）
15 きょうじん　16 わる（い）
17 こううん　18 とお（る）
19 えいご　20 すぐ（れる）
21 ふんじょう　22 みだ（れる）
23 がいふう　24 やわ（らぐ）
25 とうとく　26 ただ（す）

セ
27 輿望
28 輿い

ソ
29 湛然
30 湛える

タ
31 悉皆
32 悉く

チ
33 丞相
34 丞ける

ツ
35 誹毀
36 誹る

テ
37 粥文
38 粥ぐ

ト
39 頑魯
40 魯か

ナ
41 亘古
42 亘る

ニ
43 嘉禎
44 禎い

ヌ
45 懸吊
46 吊す

27 よぼう
28 おお(い)
29 たんぜん
30 たた(える)
31 しっかい
32 ことごと(く)
33 しょうじょう・じょうしょう
34 たす(ける)
35 ひき
36 そし(る)
37 いくぶん
38 ひさ(ぐ)
39 がんろ
40 おろ(か)
41 こうこ
42 わた(る)
43 かてい
44 さいわ(い)
45 けんちょう
46 つる(す)

ネ
47 醇風
48 醇い

ノ
49 瀦溜
50 瀦まる

ハ
51 饗応
52 饗す

ヒ
53 遠猷
54 猷る

フ
55 蔓纏
56 纏わる

ヘ
57 灌頂
58 灌ぐ

ホ
59 坦夷
60 夷らか

マ
61 叢生
62 叢がる

ミ
63 簸弄
64 簸る

ム
65 顛落
66 顛れる

47 じゅんぷう
48 あつ(い)
49 ちょりゅう
50 た(まる)
51 きょうおう
52 もてな(す)
53 えんゆう
54 はか(る)
55 まんてん
56 まつ(わる)
57 かんじょう
58 そそ(ぐ)
59 たんい
60 たい(らか)
61 そうせい
62 むら(がる)
63 はろう
64 あお(る)
65 てんらく
66 たお(れる)

Aランク

共通の漢字

● 次の各組の二文の（　）には**共通**する漢字が入る。その読みを後の□から選び、**常用漢字（一字）**で記せ。

1 犀（1）な筆致の小説である。
両者の（1）害が一致した。

2 食糧を自給自（2）する。
補（2）説明を行う。

3 （3）似の症状と見分けがつく。
報道に懐（3）の念を抱く。

4 洋間に合う什（4）を探す。
宴席に（4）皿を並べる。

あつ・かつ・き・ぎ・じゅう
そく・そん・り

解答

1 利（さいり／りがい）
2 足（じそく／ほそく）
3 疑（ぎじ／かいぎ）
4 器（じゅうき／きべい）

5 進言しても（5）耳東風だ。
ついに（5）脚を露した。

6 自然災害の（6）胎を抱く。
昔は餓（6）大将だった。

7 師の（7）誼に報いる。
銀杯を（7）賜された。

8 裏であれこれと（8）策する。
点（8）をはっきり書く。

えん・おん・かく・き・じょう
すう・ば・よく

解答

5 馬（ばじとうふう／ばきゃく）
6 鬼（きたい／がき）
7 恩（おんぎ／おんし）
8 画（かくさく／てんかく）

目標時間 10分

合格ライン 16点

得点 ／20

月　日

9
古(9)の祝いを行う。
水を加えて(9)釈する。

10
見るも痛々しい(10)痕がある。
旅先で感(10)的になる。

11
西洋の名画を(11)覧する。
会議の場所を提(11)した。

12
携帯電話が鳴り中(12)した。
悟りを求め(12)禅を組む。

13
五色の瑞(13)が現れた。
校庭の(13)梯にぶら下がる。

14
(14)累が多く責任が重い。
連(14)プレーで危機を脱した。

うん・き・きゅう・きょう・けい
ざ・しゅつ・しょう・ちょう・らく

9 希 (こき / きしゃく)
10 傷 (しょうこん / かんしょう)
11 供 (きょうらん / ていきょう)
12 座 (ちゅうざ / ざぜん)
13 雲 (ずいうん / うんてい)
14 係 (けいるい / れんけい)

15
和平交渉が(15)裂した。
即(15)で賃貸契約を行う。

16
思うままに(16)勢をふるう。
小説の版(16)を取得する。

17
交渉の代理人を(17)遣する。
多少の誤(17)は仕方ない。

18
視力を(18)正する手術を行う。
一風変わった奇(18)な振る舞い。

19
ありがたく(19)甚に存じます。
薄(19)の生涯をドラマにする。

20
選挙に向けて布(20)を打った。
鎮魂の(20)碑が建つ。

えつ・きゅう・きょう・けつ・けん・こう・ごん・さ・すい・せき

15 決 (けつれつ / そっけつ)
16 権 (けんせい / はんけん)
17 差 (さけん / ごさ)
18 矯 (きょうせい / ききょう)
19 幸 (こうじん / はっこう)
20 石 (ふせき / せきひ)

A 共通の漢字

Bランク

共通の漢字

● 次の各組の二文の（　）には共通する漢字が入る。その読みを後の□から選び、**常用漢字（一字）**で記せ。

1
形ばかりで空（1）な文章。
（1）漏のないように気を配る。

2
（2）諺を集めた本を読む。
江戸時代の風（2）を研究する。

3
一部の者が（3）禄を食む。
孤（3）を持して生きる。

4
壁の塗料が剥（4）した。
（4）獄した囚人を捕らえる。

こう・さく・しょう・そ・ぞく
そん・だつ・らく

解答
1 疎（くうそ・そろう）
2 俗（ぞくげん・ふうぞく）
3 高（こうろく・ここう）
4 脱（はくだつ・だつごく）

5
産地（5）送の野菜を買う。
廉（5）な人柄が愛された。

6
（6）轍もない計画を立てる。
中（6）半端はよくない。

7
悲劇の映画で（7）腺が緩む。
再会して感（7）にむせぶ。

8
噂が流（8）して困っている。
（8）巾で食器をふく。

かん・ちょく・てん・と・のう
ふ・へん・るい

解答
5 直（ちょくそう・れんちょく）
6 途（とてつ・ちゅうと）
7 涙（るいせん・かんるい）
8 布（るふ・ふきん）

目標時間 10分
合格ライン 16点
得点 ／20
月　日

9 〔両家の間で結（９）を交わす。／（９）涼花火大会が行われた。〕

10 〔冷たい水を所（10）する。／大（10）を抱き入学した。〕

11 〔新型のエコカーを（11）露した。／友人からの手紙を開（11）する。〕

12 〔外敵を（12）塞で防ぐ。／広大無（12）の慈しみを受ける。〕

13 〔（13）柄のよい男性だ。／船底に竜（13）を通す。〕

14 〔事実を歪（14）して伝える。／理非（14）直をただす。〕

きょく・こつ・こん・のう・ひ
へん・ほう・みょう・もう・るい

9 納 〔ゆいのう／のうりょう〕
10 望 〔しょもう／たいもう〕
11 披 〔ひろう／かいひ〕
12 辺 〔へんさい／むへん〕
13 骨 〔こつがら／りゅうこつ〕
14 曲 〔わいきょく／きょくちょく〕

15 〔（15）腔の敬意を文に著す。／美食に飽（15）する。〕

16 〔基（16）産業を大切にする。／軀（16）を強化するトレーニング。〕

17 〔話に（17）絡がない演説だ。／職場内で気（17）を通じている。〕

18 〔後宮の女官を（18）婦と称した。／寿（18）の長い電池を使う。〕

19 〔衆人の中で（19）罵する。／重い病で（19）貌が変わった。〕

20 〔祖母は（20）実に通じている。／物（20）者の名前を記す。〕

かん・こ・しょく・たい・まん
みゃく・みょう・めい・めん・わい

15 満 〔まんこう／ほうまん〕
16 幹 〔きかん／くかん〕
17 脈 〔みゃくらく／きみゃく〕
18 命 〔みょうぶ／じゅみょう〕
19 面 〔めんば／めんぼう〕
20 故 〔こじつ／ぶっこ〕

Cランク

共通の漢字

目標時間 10分

合格ライン 16点

得点 ／20 月 日

● 次の各組の二文の（　　）には**共通**する漢字が入る。その読みを後の□から選び、**常用漢字（一字）**で記せ。

1 （1）呼で安全確認をした。
社会の（1）弾を受け退陣した。

2 腹の底から（2）哉を叫ぶ。
ついに難病が（2）癒した。

3 給料のほかに（3）禄がある。
昆虫の観察に（3）念がない。

4 彼は胴（4）な商売人だ。
（4）得に目がくらみ失敗した。

えん・かい・きょう・し・ばく
よ・よく・ろく

解答

1 指（しこ／しだん）
2 快（かいさい／かいゆ）
3 余（よろく／よねん）
4 欲（どうよく／よくとく）

5 乱（5）のある本を返品する。
別の符（5）で特売品を示す。

6 絶（6）の美女と評判の女優だ。
気力盛んで蓋（6）の才がある。

7 格別の御（7）誼に感謝します。
深（7）な感謝の意を伝える。

8 代々続く（8）封家である。
（8）懐を果たし出家した。

こう・さく・せい・そ・たく
ちょう・びん・みん

解答

5 丁（らんちょう／ふちょう）
6 世（ぜっせい／がいせい）
7 厚（こうぎ／しんこう）
8 素（そほうか／そかい）

9 災害の援助物資を（ 9 ）蔵する。
景気の（ 9 ）潮が著しい。

10 偽筆か真（10）か論争している。
有名な役者の口（10）をまねる。

11 村の宿（11）として信望があつい。
今さら（11）醜をさらしたくない。

12 二人は別（12）の間柄のようだ。
（12）切丁寧に説明する。

13 格差社会が事件を惹（13）した。
躍（13）になって弁解する。

14 （14）官運動は醜い争いだ。
国内外の文献を渉（14）する。

かく・き・こん・じょう・せき・たい・てい・りょう・れん・ろう

9 退 たいぞう たいちょう
10 跡 しんせき こうせき
11 老 しゅくろう ろうしゅう
12 懇 べっこん こんせつ
13 起 じゃっき やっき
14 猟 りょうかん しょうりょう

15 労働意欲を（15）碍する要因。
意気（15）喪して覇気がない。

16 （16）禽類に属する大形の鳥だ。
勇（16）果敢で恐れを知らない。

17 人数に応じて賞金を（17）分した。
諸事情を勘（17）する。

18 （18）肴を得て美酒に酔う。
すぐれた詩歌を（18）什という。

19 凄（19）を極めた脱線事故現場。
ゴムを（19）縁体に使う。

20 苦心して（20）路を見いだす。
膏（20）を絞るような政治だ。

あん・か・ぎょう・けつ・さく・ぜつ・そ・てい・もう・よく

15 阻 そがい そそう
16 猛 もうきん ゆうもう
17 案 あんぶん かんあん
18 佳 かこう かじゅう
19 絶 せいぜつ ぜつえん
20 血 けつろ こうけつ

Aランク

書き取り①

目標時間 25分

合格ライン 39点

得点 ／48

月　日

●次の傍線部分の**カタカナ**を**漢字**で記せ。

1 彼女は目に涙を**タタ**えていた。
2 試験に落ちた子を**ナダ**める。
3 軍事機密**ロウエイ**事件が起きた。
4 争議解決へ**アッセン**の労をとる。
5 先祖の**イハイ**に手を合わす。
6 勝利を祝い**ガイカ**を奏する。
7 麻紐を使って**コンポウ**する。
8 果てしなく広がる**コンペキ**の海原。
9 指揮命令系統が**サクソウ**している。
10 新学期になると学費が**カサ**む。

解答
1 湛
2 宥
3 漏洩(泄)
4 斡旋
5 位牌
6 凱歌
7 梱包
8 紺碧
9 錯綜
10 嵩

11 打撃はよいが守備が**モロ**い。
12 化粧**セッケン**で顔を洗う。
13 老人性**セキツイ**湾曲になっている。
14 **タンパク**質は重要な栄養素の一つ。
15 登山道に茂った草を**ナ**ぐ。
16 仏像の**ミケン**には安らぎがある。
17 **ヒンシ**の重傷者を病院へ搬送した。
18 船を**フトウ**に着け荷物を下ろす。
19 竹の**ヘラ**で粉を練る。
20 もっと**モウ**かる仕事を探す。

解答
11 脆
12 石鹸
13 脊椎・脊椎
14 蛋白
15 薙
16 眉間・眉間
17 瀕死
18 埠頭
19 篦
20 儲

21 **フモト**の村に登山隊が集結した。
22 **ウルウ**年に暦のずれを調節する。
23 学習意欲が**オウセイ**な人だ。
24 祝福されて**カショク**の典を挙げる。
25 **サンゴショウ**の海に潜る。
26 ビタミンCを**カンキツ**類で補う。
27 同期生の変わらぬ友情が**ウレ**しい。
28 悪弊に**キゼン**として立ち向かう。
29 ひとり**キママ**に暮らしたい。
30 高速道路の**キョウリョウ**工事。
31 人を**グロウ**するような言葉を慎む。
32 算盤《そろばん》で三**ケタ**の足し算をする。
33 自説を一方的に**マク**し立てる。
34 その場しのぎの**コソク**なやり方だ。

21 ・麓（梺）
22 閏
23 ・旺盛
24 華（花）燭
25 珊瑚礁
26 柑橘
27 嬉
28 毅然
29 気儘
30 橋梁
31 愚・弄
32 ・桁
33 捲
34 姑息

35 海峡を**マタ**ぐ長大な橋を架ける。
36 夜空に冬の月が**サ**え渡る。
37 あきらめて**サジ**を投げてしまう。
38 栄光の軌跡が**サンゼン**と輝く。
39 **カクセイ**剤の常用は中毒を起こす。
40 **カクセイ**遺伝で祖父に似た体質だ。
41 酒の搾りかすを**ソウハク**ともいう。
42 株の暴落で顔面**ソウハク**となる。
43 準備不足で登山計画が**ツイ**える。
44 何もすることなく時間が**ツイ**える。
45 三味線の**ツル**が切れてしまった。
46 伸びたフジの**ツル**を切り落とす。
47 **ウ**の花が咲く初夏になった。
48 **ウ**の目、鷹の目で獲物を狙う。

35 跨（胯）
36 冴（冱）
37 匙（匕）
38 燦（粲）然
39 覚・醒
40 隔世
41 糟粕（魄）
42 蒼白
43 ・潰（弊）
44 費
45 弦（絃）
46 蔓
47 卯
48 鵜

Aランク

書き取り②

目標時間 25分

合格ライン 39点

得点 ／48　月　日

● 次の傍線部分の**カタカナ**を**漢字**で記せ。

1 戦いに勝ち故国に**ガイセン**した。
2 朝顔の**メシベ**を観察する。
3 容赦なく過ちを**シッセキ**した。
4 **シャクネツ**の砂漠を旅する。
5 出土した**ハニワ**が博物館に並ぶ。
6 夏祭りで**ミコシ**を担ぐ。
7 本番を前に役者の神経が**トガ**る。
8 人も**ウラヤ**むような仲の二人だ。
9 **サワラビ**が萌える季節になった。
10 寺院建築に**ゾウケイ**が深い。

解答

1	凱旋
2	雌蕊
3	・叱責
4	灼熱
5	埴輪
6	神（御）輿
7	尖
8	・羨
9	早蕨
10	造・詣

11 常識を逸脱した**ダキ**すべき行為だ。
12 **ダイタイ**部の筋肉を鍛える。
13 雀が米粒を**ツイバ**む。
14 柔道の試合で肩を**ダッキュウ**した。
15 親は身を**テイ**して子を守る。
16 三国が**テイリツ**して譲らない。
17 二人を両**テンビン**にかける。
18 防寒コートを身に**マト**う。
19 仏教が**デンパ**してきた経路を辿る。
20 **ドノウ**を積んで陣地を築く。

解答

11	・唾棄
12	大腿
13	啄（啅）
14	脱・臼
15	挺
16	鼎立
17	天秤
18	纏
19	伝播
20	土嚢

21 両親に宛てた手紙を**トウカン**した。
22 少年は宇宙飛行士に**アコガ**れた。
23 観光客が増えて町が**ニギ**わう。
24 **ネンザ**した足首の治療に通う。
25 講演内容の要点を**ハソク**する。
26 国賓を迎え**バンサン**会を開く。
27 合格の**ヒケツ**を伝授する。
28 話に**オヒレ**を付けて大げさに言う。
29 生活が**ヒッパク**し預金が底を突く。
30 ページを**メク**って読み進む。
31 病気の予防を**ナイガシ**ろにする。
32 また彼の**ホラ**話が始まった。
33 巧みな投球に**ホンロウ**される。
34 社会の**ボクタク**として人々を救う。

21 投函
22 憧（憬）
23 賑（殷）
24 捻挫
25 把捉
26 晩餐
27 秘訣
28 尾鰭
29 逼迫
30 捲
31 蔑
32 法螺
33 翻弄
34 木鐸

35 入学祝いに時計を**モラ**う。
36 超満員で**リッスイ**の余地もない。
37 販売力で他社を**リョウガ**している。
38 山頂へ続くなだらかな**リョウセン**。
39 女性に**フンソウ**して悪事を働く。
40 労使の**フンソウ**を調停する。
41 **オンリョウ**に取りつかれ錯乱する。
42 **オンリョウ**で篤実な人格者だ。
43 のれんを入り口に**カ**ける。
44 線路の雪を**カ**くラッセル車。
45 彼女は**ホウキ**まさに十八歳。
46 圧政に抗って民衆が**ホウキ**した。
47 **カップク**して主君に殉じる。
48 **カップク**がよいので背広が似合う。

35 貰
36 立錐
37 凌（陵）駕
38 稜線
39 扮装
40 紛争（諍）
41 怨霊
42 温良
43 掛
44 掻
45 芳紀
46 蜂起
47 割腹
48 恰幅

A ランク

書き取り③

● 次の傍線部分の**カタカナ**を**漢字**で記せ。

1 **リンゴ**のように赤い頬の子だ。
2 飲みすぎて**ロレツ**が怪しくなった。
3 **イビツ**な皿だが愛着がある。
4 **ワニ**は爬《は》虫《ちゅう》類の動物である。
5 迷惑をかけたので**ワ**び状を書く。
6 彼は文壇の**キリン**児として有名だ。
7 軽くて丈夫な桐の**タンス**。
8 着任の**アイサツ**に伺う。
9 難題に**ホウチャク**し頭が痛い。
10 **アカネ**の根から染料をとる。

解答
1 林檎
2 呂律
3 歪
4 鰐
5 詫
6 麒麟・騏驎
7 箪笥
8 挨拶・挨拶
9 逢着
10 茜

11 上手に**アメ**をしゃぶらせる。
12 遭難者が救助され**アンド**している。
13 排水用の**アンキョ**を造る。
14 儲かる商売へ**クラ**替えした。
15 次期社長の**イス**を狙う。
16 同情を寄せ、**イッキク**の涙を注ぐ。
17 大火にのまれ、町が**ウユウ**に帰す。
18 **ウエン**な計画で実感が湧かない。
19 **アマドイ**に溜まった枯れ葉を除く。
20 広場に**ウンカ**の如く集まった群衆。

解答
11 飴
12 安(案)堵
13 暗渠
14 鞍
15 椅(倚)子
16 一掬
17 烏有
18 迂遠
19 雨樋
20 雲霞

目標時間 25分
合格ライン 39点
得点 ／48
月 日

21 巻き貝のような**ラセン**状の構造。
22 待遇改善の要求を**イッシュウ**する。
23 権力争いの**エジキ**にされた。
24 エンジン故障の船を**エイコウ**する。
25 気息**エンエン**の経営状況だ。
26 長年の**エンコン**を晴らした。
27 父と母は**オシドリ**夫婦と言われる。
28 **オイ**が三人、姪が二人いる。
29 役所の申告書に**オウナツ**する。
30 **フスマ**を開けて和室に入る。
31 日記をつけるのも**オックウ**だ。
32 夕食に**カキ**鍋を食す。
33 **カノウ**した傷口を治療する。
34 **カブキ**は日本固有の演劇である。

21 螺旋
22 一蹴
23 餌食
24 曳航
25 奄奄
26 怨恨
27 鴛鴦
28 甥
29 押捺
30 襖
31 億劫
32 牡蠣・蠣
33 化膿
34 歌舞伎

35 妹を**イジ**めて泣かす。
36 目に**カスミ**がかかり、よく見えない。
37 劇的な本塁打に**カイサイ**を叫ぶ。
38 歩きながら店内を**イチベツ**する。
39 子は親の**ヒゴ**のもとで育つ。
40 流言**ヒゴ**には惑わされない。
41 同じ**カマ**の飯を食った仲間だ。
42 **カマ**を手にして草を刈る。
43 出没する**ヒゾク**の略奪が横行する。
44 彼は酒を飲むと**ヒゾク**な歌を歌う。
45 団子を**クシ**に刺して焼く。
46 商店街は**クシ**の歯が欠けたようだ。
47 岩**ノリ**の瓶詰をいただいた。
48 封筒を**ノリ**付けする。

35 苛
36 霞
37 快哉
38 一瞥
39 庇護
40 飛(蜚)語
41 釜
42 鎌
43 匪賊
44 卑(鄙)俗
45 串
46 櫛
47 海苔
48 糊

A 書き取り③

B ランク

書き取り①

目標時間 25分

合格ライン 39点

得点 ／48

月　日

● 次の傍線部分のカタカナを漢字で記せ。

1 公金を**カイタイ**した犯人を捜す。
2 寒いので**ガイトウ**の襟を立てた。
3 **シマ**模様のシャツを着る。
4 上司の一言で**イシュク**してしまった。
5 拍手**カッサイ**で演者を迎える。
6 採ってきた山菜の**アク**を抜く。
7 何度もやり直しになり**ヘキエキ**した。
8 心の中に**カットウ**が生じる。
9 父は毎朝**カバン**を持って出勤する。
10 **カマボコ**形の小屋が建つ。

解答

1 拐帯
2 外套
3 縞
4 萎縮
5 喝采
6 灰汁
7 辟（僻）易
8 葛藤
9 鞄
10 蒲鉾

11 **ガンサク**の「名作展」もあるそうだ。
12 しぐさが可愛い**ガンゼ**ない子供。
13 上京して友人宅に**キグウ**している。
14 正義感の強い**ギキョウ**心のある男。
15 神経を**サカナ**でするような発言だ。
16 改革派の**キュウセンポウ**となる。
17 金儲けに**キュウキュウ**としている。
18 縦びきの**ノコギリ**を使う。
19 **キョウジン**な意志で困難に克つ。
20 一瞬**ヒル**んだ隙を突かれた。

解答

11 贋作
12 頑是
13 寄寓
14 義侠
15 逆撫
16 急先鋒
17 汲汲・汲々
18 鋸
19 強靱
20 怯

21 神経が**イラ**立ち落ち着けない。
22 離島の学校で**キョウベン**を執る。
23 園芸店で**ケイフン**を買う。
24 駅前の**ソバ**屋で昼食を摂る。
25 有力な**カネヅル**を持っている。
26 イソップ物語の**グウワ**を読む。
27 反対派が**クツワ**を並べて脱退した。
28 辺り一帯を**クマ**なく捜す。
29 反戦平和の思想を**ケイモウ**する。
30 挑戦すべきか否か思い**アグ**む。
31 建築基準法に定めた**ケンペイ**率。
32 若手俳優が老け役に**フンソウ**する。
33 オルガンは**ケンバン**楽器である。
34 その場を**コト**して言い逃れる。

21 ・苛
22 教鞭
23 鶏糞
24 蕎麦
25 金蔓
26 寓話
27 轡（銜・勒）
28 隈
29 啓蒙
30 倦
31 建・蔽（坪）
32 扮装
33 ・鍵盤
34 糊塗

35 **ギゾク**ねずみ小僧は庶民の味方だ。
36 羽織**ハカマ**の出で立ちで式に臨む。
37 **ウロン**な話で信用できない。
38 **ホリュウ**の質なので運動は苦手だ。
39 **クズ**は秋の七草の一つである。
40 パンの**クズ**を鶏の餌にする。
41 宣伝用のチラシを**マ**く。
42 朝顔の種を**マ**く。
43 **コウゼン**の秘密となった外交文書。
44 長期休暇で**コウゼン**の気を養う。
45 **コウトウ**癌に侵されて声を失う。
46 **コウトウ**無稽だと一笑に付された。
47 独り芝居を五年後に**サイエン**した。
48 十名の**サイエン**が入社するそうだ。

35 義賊
36 袴
37 胡乱
38 蒲柳
39 ・葛
40 屑
41 撒
42 蒔（播）
43 公然
44 浩然
45 ・喉頭
46 荒唐
47 再演
48 才・媛

B ランク

書き取り②

目標時間 **25**分

合格ライン **39**点

得点 ／48

月　日

● 次の傍線部分の**カタカナ**を**漢字**で記せ。

1 **コセンキョウ**で写真を撮る。

2 プロの棋士に**ゴ**する実力がある。

3 **コウコ**の憂いを遺言状に記す。

4 登山道が急**コウバイ**にさしかかる。

5 耳鼻**インコウ**科で診察を受ける。

6 都会風で**アカヌ**けた人だ。

7 祖父は九〇歳の**ロウヤ**となった。

8 雄の**クジャク**の羽は美しい。

9 **カイショウ**のある人と結婚したい。

10 大根を**ヌカヅ**けにする。

解答

1 跨線橋
2 伍
3 後顧
4 ・勾配
5 ・咽・喉
6 垢抜
7 老爺
8 孔雀
9 甲斐性
10 糠漬

11 **コウケツ**を絞るような重税。

12 空襲時は防空**ゴウ**に避難した。

13 社殿の正面に**コマイヌ**を置く。

14 パンチを浴びて**コントウ**した。

15 大震災の**コンセキ**を残す。

16 **ササイ**なことだが気になる。

17 新監督の見事な**サイハイ**ぶり。

18 **サイバシ**で料理を取り分ける。

19 刺身を**サカナ**に酒を飲む。

20 世間の**シガラミ**が煩わしい。

解答

11 膏血
12 壕
13 狛犬・狛・高麗犬
14 昏倒
15 ・痕跡(蹟・迹)
16 些(瑣)細
17 ・采配
18 菜・箸
19 肴
20 ・柵

21 **ウ**まぬ努力が実り合格した。
22 定期健診で**イガン**が見つかった。
23 朝顔は昼になると**スボ**む。
24 ラッシュアワーの乗客を**サバ**く。
25 **サンロク**の村に空っ風が吹く。
26 **ロウソク**を点して盆供養を行う。
27 日光が**サンサン**と照り輝く。
28 送別の**バンサン**会を行う。
29 今までにない**ザンシン**な企画だ。
30 背中の**シッシン**が赤くただれた。
31 紛争を**ジャッキ**した原因を探る。
32 **テハズ**を整えて田植えを待つ。
33 詐欺集団の**シュカイ**と目される男。
34 災いを除く**マジナ**いを唱える。

21 倦
22 胃癌
23 窄（歙）
24 捌
25 •山麓
26 蠟燭
27 燦燦・粲粲
28 晩餐
29 •斬新
30 湿疹
31 惹起
32 手筈
33 首魁
34 •呪（蠱）

35 **ショウヨウ**として迫らない態度。
36 原材料を**シュンベツ**して生産する。
37 日本ダービーは**シュンメ**の争いだ。
38 嵐の夜、タンカーが**ザショウ**した。
39 脳**ザショウ**の疑いがあるボクサー。
40 権力者の**ソウク**に成り果てる。
41 大兵肥満の兄と、長身**ソウク**の弟。
42 勝利をほぼ**ショウチュウ**に収めた。
43 **ショウチュウ**は蒸留酒である。
44 **スウコウ**な理想を掲げて突き進む。
45 時勢の**スウコウ**を見極める。
46 **シシ**として働き家族を養う。
47 **シシ**奮迅の活躍を見せる。
48 **シシ**累々として、むごたらしい。

35 従（縦）容
36 峻別
37 駿馬
38 座（坐）礁
39 •挫傷
40 走狗
41 •痩軀
42 掌中
43 •焼酎
44 崇（嵩）高
45 趨向
46 孜孜・孳孳
47 獅子
48 死屍

Bランク

書き取り③

目標時間 25分

合格ライン 39点

得点 ／48

月 日

●次の傍線部分のカタカナを漢字で記せ。

1 景気回復のショコウが見え始めた。
2 ショウニュウドウを探検した。
3 ジョウトウ手段では解決できない。
4 人形ジョウルリを文楽《ぶんらく》と称する。
5 自慢の料理をショクゼンに供する。
6 骨董品のシンガンを問う。
7 ジンゾウの病に苦しむ。
8 長トウリュウしている湯治客。
9 低湿地帯なのでミズハけが悪い。
10 花形役者がセイゾロいする。

解答

1 曙光
2 鍾乳洞
3 常套
4 浄瑠璃
5 食膳
6 真贋
7 腎臓
8 逗留
9 水捌
10 勢揃

11 コウシをはめた窓がある家屋。
12 センベイ布団にくるまって眠る。
13 客の購買意欲をアオる。
14 事故の原因をセンサクする。
15 中年層をネラった商品開発。
16 大雨でダムのミズカサが増す。
17 サワやかな笑顔をふりまく。
18 船頭が渡し舟をコぐ。
19 母の旅行話にアイヅチを打つ。
20 異様なソウボウを持つ昆虫だ。

解答

11 格子
12 煎餅
13 煽
14 詮索・穿鑿
15 狙
16 水嵩
17 爽
18 漕
19 相槌（鎚）
20 相貌

21 患部にコウヤクを貼る。
22 海のモクズとなった兵士を弔う。
23 ダエンの球を追うラガーマン。
24 タイヒで育てた無農薬野菜。
25 オオゲサな身ぶりで笑わせる。
26 スポーツのダイゴミを知る。
27 全財産をハタいて家を買う。
28 やっとタドり着いた目的地。
29 梅がホコロびると春が近い。
30 酒色にタンデキする兄を諌める。
31 刻苦勉励タユまぬ精進が実を結ぶ。
32 世界に名声をハせた大女優。
33 一夜明けて時代のチョウジとなる。
34 チョウタクを重ねた美しい詩。

21 膏薬
22 藻屑
23 楕円
24 堆肥
25 大袈裟
26 醍醐味
27 叩
28 辿
29 綻
30 耽（湛・酖）・溺
31 弛
32 馳（駛・騁）
33 寵児
34 彫（雕）琢

35 開き戸にチョウツガイを付ける。
36 敵の様子をチョウホウ員から聞く。
37 晴天続きで工事がハカドる。
38 最後ツウチョウを突き付けられる。
39 油断もスキもない人だ。
40 スキを凝らして造った茶室。
41 風邪を引き、苦しそうにセき込む。
42 石で流れをセき止める。
43 当選のセイサンは十分ある。
44 セイサンで客人をもてなした。
45 人を惑わせるヨウキだ。
46 選手に好かれるヨウキな監督。
47 策をロウして敵の裏をかく。
48 耳をロウする大爆発に戦く。

35 蝶番
36 諜報
37 捗
38 通牒
39 隙（郤）
40 数寄（奇）
41 咳（喘・嗽）
42 堰（塞）
43 成算
44 正餐
45 妖姫
46 陽気
47 弄
48 聾

B 書き取り③

C ランク

書き取り①

目標時間 25分
合格ライン 39点
得点 ／48
月 日

● 次の傍線部分の**カタカナ**を**漢字**で記せ。

1 **ツクダニ**は保存食品である。
2 帽子の**ツバ**に手をやる。
3 井戸水を**ツルベ**で汲む。
4 まだ**アキラ**めるのは早い。
5 農村で休耕地が**テイゾウ**している。
6 選挙に立候補し人生の**カケ**に出る。
7 **トテツ**もなく無謀な計画だ。
8 重箱読みと**ユトウ**読み。
9 甘い言葉に**トロ**けてしまう。
10 弟子の人格を**トウヤ**する。

解答
1 佃煮
2 鍔（鐔）
3 釣瓶
4 ・諦
5 逓増
6 ・賭
7 途轍
8 湯桶
9 蕩（盪）
10 陶・冶

11 **シュモク**を使い鐘を鳴らす。
12 **ドウクツ**の中で化石が発見された。
13 光は**ドウコウ**を通って眼球に届く。
14 **チ**びた鉛筆を大切に使う。
15 最上段に**ダイリビナ**を飾る。
16 柔道の**トモエ**投げを習う。
17 人前で上司に**バトウ**された。
18 U字形の金具を**バテイ**に付ける。
19 じゃが芋の別名が**バレイショ**だ。
20 表紙が**スス**けた古書を買う。

解答
11 撞木
12 洞・窟
13 ・瞳孔
14 禿
15 内裏雛
16 巴
17 ・罵倒
18 馬蹄
19 馬鈴薯
20 煤

21 **シュコウ**を食卓に並べ酌み交わす。
22 部下を**オダ**てて仕事をさせる。
23 要人が**ソゲキ**される事件が起きた。
24 **シャハン**の事情を勘案して決める。
25 動物園にパンダの**ハクセイ**を置く。
26 **シラカバ**の木は寒い土地に多い。
27 論敵の発言に**ハンバク**する。
28 喫煙は**ハツガン**のリスクが高い。
29 異例の**バッテキ**で新人を主役にした。
30 人生の**ハンリョ**として申し分ない。
31 **ヒマツ**を上げる滝を見上げた。
32 **ビワ**の実は食用になる。
33 細い竹を**ヒシガタ**に組み合わせる。
34 彼の**ヒョウヘン**ぶりには驚いた。

21 酒肴
22 煽(扇)
23 ・狙撃
24 這般
25 ・剥製
26 白樺
27 反駁
28 発癌
29 抜擢
30 ・伴侶
31 飛沫
32 枇杷
33 菱形
34 豹変

35 掃き集めた落ち葉を**タ**く。
36 爪弾きされて**ヒガ**んでいる。
37 レーダーで航跡を**ホソク**する。
38 財政赤字を国債で**ホテン**した。
39 **センコウ**科目を物理学と決める。
40 電動ドリルで鉄板に**センコウ**した。
41 髪を**ソ**り落とし仏門に入る。
42 両親は連れ**ソ**って三十年になる。
43 株式会社の**テイカン**を記した書類。
44 古稀を迎え**テイカン**の境地に達した。
45 **シカン**の願いが叶い吏員となる。
46 **シカン**の表面はエナメル質だ。
47 新型テレビが市場を**セッケン**した。
48 生活費の**セッケン**を心がけている。

35 焚
36 僻
37 ・捕捉
38 ・補塡
39 専攻
40 穿孔
41 剃
42 添
43 定款
44 ・諦観
45 仕官(宦)
46 歯冠
47 席巻(捲)
48 節倹

C 書き取り①

Cランク

書き取り②

目標時間 25分
合格ライン 39点
得点 ／48
月　日

● 次の傍線部分の**カタカナ**を**漢字**で記せ。

1 生命を**ト**する価値がある。
2 展示会場の中で**ハクビ**の作品だ。
3 異動で**ヘキチ**に赴任した。
4 **ボサツ**のように穏やかに微笑む。
5 彼の厚顔ぶりに**アッケ**にとられた。
6 けやき並木が青々と**メグ**む。
7 **ハチミツ**は栄養価が高い。
8 **ホオヅエ**をついて考え込む。
9 高名な書家の**ボッコン**鮮やかな字。
10 核戦争が**ボッパツ**する虞がある。

解答
1 ・賭
2 白・眉
3 僻地
4 菩薩
5 呆気
6 萌
7 ・蜂・蜜
8 ・頰杖
9 墨・痕
10 ・勃発

11 気遣いに**マンコウ**の謝意を表する。
12 畑に**ハビコ**る雑草を抜く。
13 犠牲者を悼み**モクトウ**を捧げる。
14 準一級は**モチロン**、一級も狙う。
15 あの人は**ヤシャ**のように恐ろしい。
16 漢方医に**ヤクジ**療法を勧められた。
17 春霞が**ヨウエイ**する山麓の村。
18 山頂からは**ハルバル**と見渡せた。
19 株の取引で**リザヤ**を稼ぐ。
20 **リュウチョウ**に日本語を話す。

解答
11 満腔
12 蔓延
13 黙禱
14 勿論
15 夜叉
16 薬・餌
17 揺曳
18 遥遥・遥々
19 利鞘
20 流暢

21 宿願を果たし**リュウイン**が下がる。
22 **ルリ**色のガラス食器を使う。
23 粗末な家で雨露を**シノ**ぐ。
24 苦難が予想され前途**リョウエン**だ。
25 耐火**レンガ**で造った建物。
26 前髪を**イジ**る癖がある。
27 **ロッコツ**は胸部の内臓を保護する。
28 **ワイロ**を使う商取引を禁止する。
29 十年間、**ワキメ**もふらずに働いた。
30 紙幣を**ワシヅカ**みにして逃げた賊。
31 **ヒノキ**の建材は堅くて美しい。
32 負け続けた**ウップン**を晴らす。
33 江戸時代に造られた**カンガイ**用水。
34 **アゼン**として返す言葉がない。

21 溜飲
22 ・瑠(琉)・璃
23 凌(陵)
24 遼遠
25 煉・瓦
26 ・弄
27 肋骨
28 賄・賂
29 ・脇目
30 鷲掴
31 檜
32 ・鬱憤
33 灌漑
34 唖然

35 寒いので手袋を**ハ**めて外出した。
36 組織の運営資金を**カ**き集める。
37 職人に**ヨウチン**を支払う。
38 **マ**き餌をしてから魚を捕る。
39 **ソウゼン**とした古都の町並み。
40 世情が**ソウゼン**として不穏だ。
41 汚れた窓ガラスを**フ**く。
42 藁で屋根を**フ**く。
43 医師の父はドイツ語に**タンノウ**だ。
44 **タンノウ**炎の治療を受けている。
45 天の**ユウジョ**を待つのみだ。
46 御**ユウジョ**いただき感謝します。
47 **ソセイ**濫造では市場の信用を失う。
48 倒産寸前の企業を**ソセイ**させた。

35 ・塡(嵌)
36 掻
37 傭賃
38 撒
39 蒼然
40 騒(躁)然
41 ・拭
42 葺
43 堪能
44 胆嚢
45 佑(祐)助
46 宥恕
47 粗製
48 蘇(甦)生

C ランク

書き取り③

目標時間 25分

合格ライン 39点

得点 ／48 月 日

● 次の傍線部分の**カタカナ**を**漢字**で記せ。

1 兄弟揃って**ウルウドシ**生まれだ。
2 **エシ**した組織を除去する。
3 慢心して上司の**ゲキリン**に触れた。
4 下手に動けば**ヤブヘビ**になる。
5 山に赤い柿の実が**テンテイ**している。
6 生まれて間もない**エイジ**の写真。
7 目の前から**コツゼン**と姿を消した。
8 プロと比べても**ソンショク**がない。
9 炎天下を歩いて**ノド**が渇いた。
10 **タダゴト**とは思えない悲鳴だ。

解答

1 閏年
2 壊死
3 逆鱗
4 藪蛇
5 点綴
6 嬰児
7 忽然
8 遜色
9 喉（咽）
10 徒（只・唯）事

11 日本酒を造る職人を**トウジ**と呼ぶ。
12 事実を**ワイキョク**した報道を正す。
13 自然の営みに**イフ**の念を抱く。
14 **ヒキョウ**な真似はしたくない。
15 腸**ヘイソク**で腹部が痛む。
16 床に**ギョウガ**し天井を見つめる。
17 古寺の七堂**ガラン**を巡る。
18 原稿締め切りに**ヨウヤ**く間に合う。
19 傷口に**ナンコウ**を塗る。
20 **ヨクド**には農作物が豊かに実る。

解答

11 杜氏
12 歪曲
13 畏怖
14 卑怯
15 閉塞
16 仰臥
17 伽藍
18 漸
19 軟膏
20 沃土

21 生気**オウイツ**して活力がある。
22 **トボ**けて人を笑わせるのが得意だ。
23 追い込まれて**ガゼン**盛り返す。
24 元旦は村の鎮守に**サンケイ**する。
25 仲間から**ソガイ**されて悔しい。
26 亡父の一周忌に**シンセキ**が集まる。
27 **ガイコツ**のように痩せてしまった。
28 理科実験に興味が**ワ**く。
29 国語の教科書を**ヘンサン**する。
30 挙動不審な男を**ジンモン**する。
31 チャンスを**コトゴト**く逃がす。
32 熟成した酒の**ホウジュン**な味わい。
33 自分に都合よく**ケンデン**する。
34 **キンサ**で敗れ、涙を呑む。

21 横溢
22 惚
23 俄然
24 ・参詣
25 疎(疏)外
26 ・親戚
27 ・骸骨
28 ・湧(涌)
29 編纂
30 訊(尋)問
31 悉(尽)
32 芳醇
33 喧伝
34 ・僅差

35 **セイサン**を極める戦場の光景。
36 喜寿の祖父は**スコブ**る元気だ。
37 筋肉の緊張と**シカン**を繰り返す。
38 鍋料理に**ネギ**を使う。
39 **ジョウトウ**句ばかりで新味がない。
40 新築の**ジョウトウ**式を行う。
41 化けの皮が**ハ**げる。
42 乱伐で**ハ**げ山になった。
43 全身麻酔で**コンコン**と眠り続ける。
44 心を込めて**コンコン**と諭す。
45 裏が**ス**いて見える下駄。
46 田を**ス**いて水を入れる。
47 関西の味つけは**タンパク**だ。
48 大豆には**タンパク**質が多い。

35 ・凄惨
36 頗
37 弛緩
38 葱
39 常套
40 上棟
41 ・剝
42 禿
43 昏昏
44 懇懇
45 透
46 鋤
47 淡泊(白)
48 蛋白

C 書き取り③

Cランク

書き取り④

目標時間 25分
合格ライン 39点
得点 /48
月 日

● 次の傍線部分の**カタカナ**を**漢字**で記せ。

1 温厚な性格で何らの**ケイカク**もない。
2 醜態を**サラ**すことは避けたい。
3 記念写真を**レイレイ**しく飾り立てる。
4 **カンゼン**するところがない出来だ。
5 文学賞を受賞して**ハク**が付いた。
6 **ゼッポウ**鋭く政府を批判する。
7 自治会の活動で**ヨシミ**を結ぶ。
8 **ラクハク**した壁画を修復する。
9 どこも**カシコ**も景気が悪い。
10 **タイゼン**と構えて物事に動じない。

解答
1 圭角
2 晒
3 麗麗・麗々
4 間然
5 箔
6 舌鋒
7 誼(好)
8 落・剝
9 彼処(所)
10 泰然

11 生まれつき**ゼイジャク**な体質だ。
12 長い間、音**サタ**がない。
13 五月なのに**アタカ**も真夏のようだ。
14 離島で**イントン**の日々を送る。
15 交通事故で記憶を**ソウシツ**した。
16 **イカダ**を川に浮かべる。
17 鏡に向き合って**マユズミ**を引く。
18 密閉した室内の空気が**ヨド**む。
19 本質を見抜く**ドウサツ**力がある。
20 世俗を離れて**コウトウ**的に生きる。

解答
11 脆弱
12 沙・汰
13 恰・(宛)
14 隠遁
15 喪失
16 筏(桴)
17 黛・(眉墨)
18 澱(淀)
19 洞察
20 高踏

21 **リョウウン**の志を持つ。
22 名家が**チョウラク**の道を辿る。
23 サッカー場が観客で**ウズ**まった。
24 シャム猫を**アイガン**している。
25 学業に励み**シュクシ**を遂げる。
26 先代の遺産を**トウジン**した。
27 外交機密が報道機関に**モ**れる。
28 **ボウオク**ですが、お越し下さい。
29 **シガ**にもかけない対応だった。
30 不安を**フッショク**し長旅に発つ。
31 自然の砂浜が**ヨミガエ**った。
32 **オウヨウ**に構えて悠然と振る舞う。
33 **クボチ**なので水害の危険がある。
34 鷲は**モウキン**類の一種だ。

21 凌(陵)雲
22 凋落
23 ・塡(埋)
24 ・愛玩
25 夙(宿)志
26 蕩尽
27 洩(漏)
28 茅屋
29 ・歯牙
30 ・払拭
31 蘇(甦)
32 鷹揚
33 窪(凹)地
34 猛禽

35 思わず秘密を**シャベ**ってしまう。
36 弥生時代に作られた**ドウタク**。
37 道理がわからない**グマイ**な人だ。
38 国家にも企業にも**エイキョ**がある。
39 合宿で**キガ**を共にした仲間。
40 食糧不足で**キガ**に苦しむ。
41 親に向かって悪態を**ツ**く。
42 豪雨で床下に水が**ツ**く。
43 土地を**ホソク**して距離をはかる。
44 **ホソク**説明を丁寧に行う。
45 公園の落ち葉を**ハ**く。
46 新しいズボンを**ハ**いて出掛けた。
47 **シセイ**天に通ず。
48 **シセイ**方針演説を行う。

35 喋
36 銅鐸
37 ・愚昧
38 盈虚
39 起臥
40 飢餓
41 吐
42 浸
43 歩測
44 補足
45 掃
46 穿
47 至誠
48 施政

Cランク

書き取り⑤

目標時間 25分

合格ライン 39点

得点 ／48 月 日

● 次の傍線部分の**カタカナ**を**漢字**で記せ。

1 頰に**ガンシュウ**の色を浮かべる。
2 友人の**フイン**を聞いて号泣する。
3 テンポが良く、**カイチョウ**の良い音楽。
4 惰眠を**ムサボ**る。
5 事件の後、彼は**シッソウ**した。
6 才能を生かして**ラツワン**を振るう。
7 後漢末期に起こった**トウコ**の禁。
8 **ドンブリ**にご飯を大盛りによそう。
9 **ゴウゼン**な物言いに閉口する。
10 趣のある**ブッサツ**だ。

解答
1 含羞
2 訃音
3 諧調
4 貪
5 失踪
6 辣腕
7 党錮
8 丼
9 傲然
10 仏刹

11 烏に**ハンポ**の孝あり。
12 表現を深めるために**ヒユ**法を用いる。
13 **キュウシンケイ**は鼻腔に分布する。
14 汚い言葉で**チョウバ**される。
15 民家を襲撃し、**キカイ**する。
16 言葉を調べるために**ジイ**を参照する。
17 **ホウシ**な生活を改める。
18 敵の軍勢の多さに**シンリツ**する。
19 **カイ**の木が枝葉を広げる。
20 **ソウヘキ**を成す二人の人物。

解答
11 反哺
12 比喩
13 嗅神経
14 嘲罵
15 毀壊
16 辞彙
17 放恣
18 震慄
19 楷
20 双璧

21 皮膚にできた**ヨウシン**に薬を塗る。
22 **センチュウ**に解釈が記されている。
23 学園生活に**ショウケイ**の念を抱く。
24 **セイチ**を極めた細工。
25 家族の**フ**に接する。
26 合唱団の**カイセイ**が聞こえる。
27 食べ物を見つけては**ドンショク**する。
28 **ホニュウビン**を煮沸消毒する。
29 **シンラツ**な言葉を浴びる。
30 親子**ドン**を注文する。
31 **セツナ**的な考え方を改める。
32 記者がスクープを**カ**ぎ付ける。
33 一同から**チョウロウ**される。
34 失態を見せれば**ボウキ**を受ける。

21 癢(痒)疹
22 箋注
23 憧憬
24 精緻
25 訃
26 諧声
27 貪食
28 哺乳瓶
29 辛辣
30 丼
31 刹那
32 嗅
33 嘲弄
34 謗毀

35 戦戦**リツリツ**として動けない。
36 **ボカイ**を見ながら書写をする。
37 **ハクヘキ**の微瑕《びか》。
38 書類に**フセン**を貼り付ける。
39 精妙**コウチ**を極めた芸術作品。
40 日向《ひなた》に出て**シュウメイ**を起こす。
41 旧友との**カイゴ**に時間を忘れる。
42 電柱に**ガイシ**を取り付ける。
43 朝型の生活に**ジュンチ**する。
44 **タクハツ**の僧に布施をする。
45 凍てつく寒さに全身が**アワダ**つ。
46 剣道に励み**ショウブ**の精神を養う。
47 今回の判決は甚だ**シュコウ**し難い。
48 迷いの**ケイバク**から脱却する。

35 慄慄
36 模楷
37 白璧
38 付箋
39 巧緻
40 羞明
41 諧語
42 碍子
43 馴致
44 托鉢
45 粟立
46 尚武
47 首肯
48 繋縛

Aランク 誤字訂正

●次の各文にまちがって使われている**同じ音訓の漢字**が**一字**ある。**上に誤字**を、**下に正しい漢字**を記せ。

1 師の遺訓を裏切って利権に走るなど、錦獣にも劣る行為として批判を受けた。

2 左右にスマッシュを打ち込み対戦相手を奔弄し、疲弊させる戦法に出た。

3 その映画では遁走する犯人を追うカーチェイスの場面が圧観だ。

4 大臣である親の畏光を笠に着て地元企業を好きなように濫用している。

5 従業員の不満を纏めて待遇改善を要求したが、社長に一就されてしまった。

6 彼は立て板に水で流暢に話すが、話の内容はどうも羽散臭い。

7 憤死した先祖の穏霊にとりつかれたかのように、幻聴や幻覚に襲われる。

8 新人なのに笠に掛かった物言いをして、周りの先輩から酷く叱られた。

9 青春時代の心の裡の葛闘は、大人になっていく過程での貴重な財産だ。

10 僅かに一軒残る茅拭き屋根の家屋を町の文化財として保存している。

11 強豪相手に一歩も譲らず奮闘したが延長戦の末、近差で負けてしまった。

12 会社のためを思って社長に諫言したが、激鱗に触れて左遷されてしまった。

13 脳硬塞は脳血管の一部が閉塞してしまう病気で後遺症も多い。

14 情報が錯争し判断は困難を極めるが、現段階での抜本的な改革は無理だ。

目標時間 20分

合格ライン 28点

得点 /34

月 日

解答

	1	2	3	4	5	6	7	8	9	10	11	12	13	14
誤	錦	奔	観	畏	就	羽	穏	笠	闘	拭	近	激	硬	争
正	禽	翻	巻	威	蹴	胡	怨	嵩	藤	葺	僅	逆	梗	綜

15 監査請求に対して役所は前例がないことを口実に、尺子定規な対応をした。

16 昏睡状態を脱して意識の戻った子どもの顔を見ると、母は漸く秀眉を開いた。

17 団地内に塵灰処理場を設置するにあたって、住民に対し説明会を開いた。

18 一刻も早く怪我人を収容したいと気が咳くが、荒天のため現場に近づけない。

19 錯誤が重なりすっかり意気阻相して拙劣なパスを繰り返す試合となった。

20 売上高の多過を争わせる競争主義が、慢性的な職場の疲弊を招来する。

21 祖母は長い闘病の末、命端夕に迫り、家族が最期を見守っている。

22 意見を闘わせるよりも相手を誹り、中傷する泥試合の様相を呈してきた。

23 媒煙は炭素化合物が不完全燃焼した時に生ずる微細な浮遊物である。

24 大都会での教育に嫌気がさし、一念発起して壁地の学校へ赴任していった。

---

25 経営再建のため全社一丸となって新規巻き直しを図るべく組織改編を行った。

26 未曽有の災害の犠牲となった人々の命福を祈って黙禱した。

27 この団地は一棟ごとに建物の外部に緊急避難用の羅旋階段を備えている。

28 上司への怨恨を酒の席でぶちまけて竜飲を下げるのも稚い行為だ。

29 ペンションの連瓦造りの暖炉で、炉辺談話に花を咲かせるのも楽しみだ。

30 論客として定評のある議員に舌砲鋭く詰問され、大臣は答弁に苦慮した。

31 父は小さな鉢植えの植物に手を加え、自然の雅趣を表す盆栽を賞含する。

32 不正献金問題はいつの間にか沙多止みとなって、国民は蚊帳の外に置かれた。

33 不毛の大地も雨季を迎えて、疎生したかのように緑に覆われた。

34 軍部はクーデターで政権を顚幅させたが、支持を獲得できず紛争となった。

15	尺	↓ 杓
16	秀	↓ 愁
17	灰	↓ 芥
18	咳	↓ 急
19	相	↓ 喪
20	過	↓ 寡
21	端	↓ 旦
22	試	↓ 仕
23	媒	↓ 煤
24	壁	↓ 僻
25	巻	↓ 蒔
26	命	↓ 冥
27	羅	↓ 螺
28	竜	↓ 溜
29	連	↓ 煉
30	砲	↓ 鋒
31	含	↓ 玩(翫)
32	多	↓ 汰
33	疎	↓ 蘇(甦)
34	幅	↓ 覆

B ランク

誤字訂正①

⏱目標時間 20分

合格ライン 28点

得点 ／34　月　日

● 次の各文にまちがって使われている**同じ音訓の漢字**が**一字**ある。**上に誤字**を、**下に正しい漢字**を記せ。

1 凄惨な事故現場の様子を思い浮かべ、肌に泡立つ思いがして身震いした。

2 「一範を見て全豹をトす」とは、一部を見て全体を推量することである。

3 長逗留の末に国王への拝閲を許され、携えてきた献上品を恭しく捧げた。

4 年末の掻き入れ時に売上を伸長させないと、在庫が捌けない。

5 姉はよく鍵針を使ってレース編みの作品を作っては人に贈っている。

6 恰腹のよさも昨今では自己管理不足に繋がるとして歓迎されなくなった。

7 歯に絹着せぬ毒舌は時に恨まれたが正鵠を射ている点も多かった。

8 粒粒辛苦の末に尊敬すべき師と出会い、生涯師の後陣を拝して生きた。

9 学校随一の才援として有名な彼女を、口説き落としてみせると気炎を吐く。

10 自業自得とはいえ、家族にも友人にも見捨てられ錯莫たる思いにとらわれた。

11 高層ビルが林立するこの地は、曾て世間から遮閉された刑務所だった。

12 定年後は晴耕雨読の生活で、近所の図書館の書物を樵猟する日々である。

13 交通事故で頭骸骨に損傷を受けたが、名医の執刀で一命をとりとめた。

14 両国の同盟関係に関する認識の差を埋め、妥協点を見出すべく接衝を重ねた。

解答

	1	2	3	4	5	6	7	8	9	10	11	12	13	14
誤	泡	範	閲	掻	鍵	腹	絹	陣	援	錯	閉	樵	骸	接
正	粟	斑	謁	書	鉤	幅	衣	塵	媛	索	蔽	渉	蓋	折

15 玄人はだしの彼の作品はプロに比して少しの損色もなく、称賛を浴びた。

16 駅前の再開発事業は、地元住民の諒解を取りつけ端処に就いたばかりだ。

17 遺跡から発掘される珍稀な出土品から文明が伝波していく様子を検証できる。

18 頓辞を弄し、責任転嫁をする人間は決して信用に値しない。

19 出立する息子を寡黙な父は目の淵を赤くしていつまでも見送っていた。

20 彼は端役のころから、後のカリスマ的な名優になる辺鱗を垣間見せていた。

21 車内で徐に化粧を始めた妙齢の女性の姿に、祖母は目を向いた。

22 悠揺として迫らぬ態度で敵を迎えた姿に、大人物としての貫禄が漂っていた。

23 会場には続々と観客が詰めかけ、立垂の余地もなく埋め尽くされていた。

24 脱税容疑に関する検察の捜査の手は遂に最大派閥の領酋にまで及んだ。

---

25 逃げ場を失ったテロリスト達は人質を楯に大使館の一室に牢城している。

26 春先の巷間に流布する桜の話題も千扁一律で、陳腐な趣だ。

27 高山病の防止には漸次、体を高地に順致させる必要がある。

28 現世をさす至岸に対し、煩悩を脱してねはんに達した境地を彼岸と言う。

29 着用すれば自ら発熱する薄手で暖かい新素材の繊維の開発に先便をつけた。

30 些細な事件から暴動が起こり、群衆が怒騰の如く警察署に押し寄せた。

31 ヒグマは図体に似合わず敏症な身のこなしで、川を遡上するサケを捕らえる。

32 種種の用途に使用される範用コンピュータは数多の企業で活用されている。

33 「瓜田に履を納れず、利下に冠を正さず」という諺の意味を調べる。

34 春の野から摘んできた若菜を卵で閉じて酒肴の一品として並べた。

15 損→遜
16 処→緒
17 波→播
18 頓→遁
19 淵→縁
20 辺→片
21 向→剝
22 揺→揚
23 垂→錐
24 酋→袖
25 牢→籠
26 扁→篇（編）
27 順→馴
28 至→此
29 便→鞭
30 騰→濤
31 症→捷
32 範→汎
33 利→李
34 閉→綴

B 誤字訂正①

B ランク

誤字訂正②

目標時間 20分

合格ライン 28点

得点 ／34 月 日

● 次の各文にまちがって使われている**同じ音訓の漢字**が**一字**ある。**上に誤字**を、**下に正しい漢字**を記せ。

1 憧れの作家が度々投留した温泉宿は、熊が出るほどの山奥にある。

2 仏壇の父母の位拝に手を合わせて冥福を祈り、家族の無病息災を願った。

3 疎遠にしている縁籍関係の人たちが一堂に会するのは、葬祭の時ぐらいだ。

4 概博な知識の持ち主だったその評論家は、行動する実践家としても知られた。

5 苦労を経て華飾の典を挙げた新郎新婦を、多くの友人知人が祝福した。

6 一人で子供を育てた母は、世間の荒波に揉まれ堅肘張って生きてきた。

7 不毛の大地を開墾し管漑工事を施工した結果、豊かな穀倉地帯となっている。

8 大怪我を克服して再び挑戦する彼の強甚な精神力に、誰もが圧倒された。

9 目標は同じだが実現方法の差違が顕在化して、気裂が生じてしまった。

10 そこかしこに金伯の装飾が施され、余りのけばけばしさに嫌気が差した。

11 長い間名曲喫茶として営業した店が、突如として割烹に蔵替えした。

12 男女共に取得できる育児休業制度は、不況下で一層の形劾化が進んでいる。

13 今期の売上倍増の懸引力となったのは、良質で廉価な新素材による衣料だ。

14 控え目な態度に好感が持てるが、過剰な謙尊には嫌悪感がある。

解答

	1	2	3	4	5	6	7	8	9	10	11	12	13	14
誤	投	拝	籍	概	飾	堅	管	甚	気	伯	蔵	劾	懸	尊
正	逗	牌	戚	該	燭	肩	灌	靭	亀	箔	鞍	骸	牽	遜

15 仕事や都会の生活に疲れ、幽谷の地で宏然の気を養った。

16 郷里で農業に勤しむ姉は、請われて旧家へ腰入れすることになった。

17 抱腹絶倒の滑軽な芝居に、観客はやんやの喝采を浴びせた。

18 カラフルで精密な糸繍が施された民族衣装を着た娘たちが、輪になって踊る。

19 限定版の画集に触指が動いたが、余りに高価だったので渋々諦めた。

20 新大統領の演説は核兵器廃絶へ向けて初光が射し始めたことを示した。

21 新取の気風に富んだ職場は活気に満ち溢れ、企画も次々に生み出された。

22 清疎な白いブラウス姿の女学生の髪を、五月の爽やかな風が吹き撫でていく。

23 狭き門を突破して採用された彼は、友人たちの煽望の的となった。

24 日本列島を縦断する責梁山脈は太平洋側と日本海側の気候を分断している。

25 孫が訪ねてくると、普段厳しい顔つきの父も相合を崩して満面笑顔になる。

26 残業の日は料理せずにすぐ食べられるよう、スーパーで惣材を買って帰る。

27 その子は目に涙を一杯に讃え、去っていく祖母をいつまでも見送っていた。

28 喧嘩に旦を発したその事件は、近隣住民を巻き込んで収拾がつかなくなった。

29 祖父は戦争中、何回も投獄の憂き目に遭いながら反戦平和運動に提身した。

30 生真面目な性格が突如豹変し、思う存分放唐し身銭を一切使い果たした。

31 鍵盤の奏でる優しい音律が、凝り固まった心の欲垢を洗い流し慰侮してくれる。

32 古今問わず舌唱と言われる詩歌が収められた特選集が、編纂された。

33 途徹もない卑怯な手段に屈しないよう打開策を練り上げる。

34 隆盛を誇った大藩も開国の政情不安に翻弄され雄藩の後陣を拝した。

15	16	17	18	19	20	21	22	23	24
宏↓浩	腰↓輿	軽↓稽	糸↓刺	触↓食	初↓曙	新↓進	疎↓楚	煽↓羨	責↓脊

25	26	27	28	29	30	31	32	33	34
合↓好	材↓菜	讃↓湛	旦↓端	提↓挺	唐↓蕩	侮↓撫	舌↓絶	徹↓轍	陣↓塵

A ランク

四字熟語①

目標時間 15分

合格ライン 26点

得点 ／32 月 日

● 次の問1～問4の四字熟語について答えよ。

問1 次の四字熟語の（1～10）に入る適切な語を後の□から選び**漢字二字**で記せ。

（1）凝議　虚心（6）
（2）附会　情緒（7）
（3）猛進　沈魚（8）
（4）神助　温柔（9）
（5）一触　紫電（10）

いっせん・がいしゅう
きゅうしゅ・けんきょう
たんかい・ちょとつ・てんめん
てんゆう・とんこう・らくがん

解答

1 鳩《きゅう》首《しゅ》凝《ぎょう》議《ぎ》
2 牽《けん》強《きょう》附《ふ》会《かい》
3 猪《ちょ》突《とつ》猛《もう》進《しん》
4 天《てん》佑《ゆう》(祐)神《しん》助《じょ》
5 鎧《がい》袖《しゅう》一《いっ》触《しょく》
6 虚《きょ》心《しん》坦《たん》懐《かい》
7 情《じょう》緒《しょ》纏《てん》綿《めん》（じょうちょ）
8 沈《ちん》魚《ぎょ》落《らく》雁《がん》
9 温《おん》柔《じゅう》敦《とん》(惇)厚《こう》
10 紫《し》電《でん》一《いっ》閃《せん》

問2 次の四字熟語の（1～10）に入る適切な語を後の□から選び**漢字二字**で記せ。

（1）同時　自家（6）
（2）重来　長汀（7）
（3）寸長　山河（8）
（4）蜜語　天神（9）
（5）夢幻　一虚（10）

いちえい・きょくほ・きんたい
けんど・せきたん・そったく
ちぎ・てんげん・どうちゃく
ほうまつ

解答

1 啐《そっ》啄《たく》同《どう》時《じ》
2 捲《けん》(巻)土《ど》重《ちょう》来《らい》（じゅうらい）
3 尺《せき》短《たん》寸《すん》長《ちょう》
4 甜《てん》言《げん》蜜《みつ》語《ご》
5 泡《ほう》沫《まつ》夢《む》幻《げん》
6 自《じ》家《か》撞《どう》着《ちゃく》(著)
7 長《ちょう》汀《てい》曲《きょく》浦《ほ》
8 山《さん》河《が》襟《きん》帯《たい》
9 天《てん》神《しん》地《ち》祇《ぎ》
10 一《いっ》虚《きょ》一《いち》盈《えい》

問3 次の1～6の**解説・意味**にあてはまる四字熟語を後の□から選び、その**傍線部分だけの読み**を**ひらがな**で記せ。

1 美しく着飾ること。
2 ありえないもののたとえ。
3 ごく平凡な人物のこと。
4 物事の規準や手本となるもの。
5 文字の書き誤りのたとえ。
6 死後、生まれ変わること。

焚書坑儒・輪廻転生・規矩準縄
兎角亀毛・綾羅錦繍・浮花浪蕊
張三李四・魯魚章草

解答

1 きんしゅう（綾羅錦繍《りょうらきんしゅう》）
2 きもう（兎角亀毛《とかくきもう》）
3 りし（張三李四《ちょうさんりし》）
4 きく（規矩準縄《きくじゅんじょう》）
5 ろぎょ（魯魚章草《ろぎょしょうそう》）
6 りんね（輪廻転生《りんねてんしょう》）

問4 次の1～6の**解説・意味**にあてはまる四字熟語を後の□から選び、その**傍線部分だけの読み**を**ひらがな**で記せ。

1 徒に空しい望みを抱くこと。
2 過ちを巧妙にとりつくろう。
3 中途半端を戒めるたとえ。
4 猛烈に勉強すること。
5 遥か遠い道程のたとえ。
6 激しく恨み、憎むこと。

不失正鵠・不倶戴天・鵬程万里
氷壺秋月・臨淵羨魚・孟母断機
磨穿鉄硯・落筆点蠅

解答

1 せんぎょ（臨淵羨魚《りんえんせんぎょ》）
2 てんよう（落筆点蠅《らくひつてんよう》）
3 だんき（孟母断機《もうぼだんき》）
4 ません（磨穿鉄硯《ませんてっけん》）
5 ほうてい（鵬程万里《ほうていばんり》）
6 ふぐ（不倶戴天《ふぐたいてん》）

A ランク

四字熟語②

● 次の**問1**～**問4**の四字熟語について答えよ。

問1 次の四字熟語の（1～10）に入る適切な語を後の□から選び**漢字二字**で記せ。

（1）万里　街談（6）
（2）転生　曲学（7）
（3）喪志　羊頭（8）
（4）雀躍　古色（9）
（5）美俗　行住（10）

あせい・がんぶつ・きんき
くにく・こうせつ・ざが
じゅんぷう・そうぜん・ほうてい
りんね

解答

1 鵬《ほう》程《てい》万《ばん》里《り》
2 輪《りん》廻《ね》転《てん》生《しょう》
3 玩《がん》物《ぶつ》喪《そう》志《し》
4 欣《きん》喜《き》雀《じゃく》躍《やく》
5 醇《じゅん》(淳)風《ぷう》美《び》俗《ぞく》
6 街《がい》談《だん》巷《こう》説《せつ》
7 曲《きょく》学《がく》阿《あ》世《せい》
8 羊《よう》頭《とう》狗《く》肉《にく》
9 古《こ》色《しょく》蒼《そう》然《ぜん》
10 行《ぎょう》住《じゅう》坐《ざ》(座)臥《が》

問2 次の四字熟語の（1～10）に入る適切な語を後の□から選び**漢字二字**で記せ。

（1）昇天　四面（6）
（2）錦繍　純真（7）
（3）栄華　前途（8）
（4）走牛　抜山（9）
（5）嘗胆　抜本（10）

えいよう・がいせい・がしん
きょくじつ・そか・そくげん
ぶんぼう・むく・りょうえん
りょうら

解答

1 旭《きょく》日《じつ》昇《しょう》天《てん》
2 綾《りょう》羅《ら》錦《きん》繍《しゅう》
3 栄《えい》《え》耀《よう》《よう》栄《えい》華《が》
4 蚊《ぶん》虻《ぼう》走《そう》牛《ぎゅう》
5 臥《が》薪《しん》嘗《しょう》胆《たん》
6 四《し》面《めん》楚《そ》歌《か》
7 純《じゅん》真《しん》無《む》垢《く》
8 前《ぜん》途《と》遼《りょう》遠《えん》
9 抜《ばっ》山《ざん》蓋《がい》世《せい》
10 抜《ばっ》本《ぽん》塞《そく》源《げん》

目標時間 15分

合格ライン 26点

得点 ／32

月　日

問3 次の1～6の**解説・意味**にあてはまる四字熟語を後の□から選び、その**傍線部分だけの読み**を**ひらがな**で記せ。

1 聞いていて快い言葉のこと。
2 一か所に集まって相談すること。
3 都合よく無理にこじつけること。
4 立て直しを図り勢いを盛り返す。
5 幸運に恵まれ救われること。
6 まっしぐらに行動すること。

牽強附会・天佑神助・猪突猛進
百舌勘定・鳩首凝議・百歩穿楊
捲土重来・甜言蜜語

解答

1 てんげん（甜《てん》言《げん》蜜《みつ》語《ご》）
2 ぎょうぎ（鳩《きゅう》首《しゅ》凝《ぎょう》議《ぎ》）
3 けんきょう（牽《けん》強《きょう》附《ふ》会《かい》）
4 けんど（捲《けん》土《ど》重来《ちょうらい》《じゅうらい》）
5 てんゆう（天《てん》佑《ゆう》神《しん》助《じょ》）
6 ちょとつ（猪《ちょ》突《とつ》猛《もう》進《しん》）

問4 次の1～6の**解説・意味**にあてはまる四字熟語を後の□から選び、その**傍線部分だけの読み**を**ひらがな**で記せ。

1 雰囲気や趣がいつまでも続く。
2 逃すことのできない好機のこと。
3 物事の法則や基準のこと。
4 到達できる最高点のたとえ。
5 亡国の嘆きのこと。
6 他人の意見をすぐに受け売りする。

披星戴月・情緒纏綿・道聴塗説
啐啄同時・百尺竿頭・麦秀黍離
鉤縄規矩・飛鷹走狗

解答

1 てんめん（情緒《じょうしょ》《じょうちょ》纏《てん》綿《めん》）
2 そったく（啐《そっ》啄《たく》同《どう》時《じ》）
3 きく（鉤《こう》縄《じょう》規《き》矩《く》）
4 かんとう（百尺《ひゃくしゃく》《ひゃくせき》竿《かん》頭《とう》）
5 しょり（麦《ばく》秀《しゅう》黍《しょ》離《り》）
6 どうちょう（道《どう》聴《ちょう》塗《と》説《せつ》）

A ランク

四字熟語③

● 次の問1～問4の四字熟語について答えよ。

問1 次の四字熟語の（1～10）に入る適切な語を後の□から選び**漢字二字**で記せ。

（1）準縄　不倶（6）
（2）浄土　捧腹（7）
（3）奇抜　矛盾（8）
（4）再拝　阿鼻（9）
（5）秀麗　意気（10）

きく・きょうかん・けんこう
ごんぐ・ざんしん・ぜっとう
たいてん・どうちゃく
とんしゅ・びもく

解答

1 規《き》矩《く》準縄《じゅんじょう》
2 欣《ごん》求《ぐ》浄《じょう》土《ど》
3 斬《ざん》新《しん》奇《き》抜《ばつ》
4 頓《とん》首《しゅ》再《さい》拝《はい》
5 眉《び》目《もく》秀《しゅう》麗《れい》
6 不《ふ》倶《ぐ》戴《たい》天《てん》
7 捧《ほう》腹《ふく》絶《ぜっ》倒《とう》
8 矛盾《むじゅん》撞着《どうちゃく》（著）
9 阿《あ》鼻《び》叫喚《きょうかん》
10 意《い》気《き》軒《けん》昂《こう》

問2 次の四字熟語の（1～10）に入る適切な語を後の□から選び**漢字二字**で記せ。

（1）露宿　一張（6）
（2）浮木　一目（7）
（3）断機　加持（8）
（4）迎合　気息（9）
（5）托生　魚網（10）

あふ・いちれん・いっし
えんえん・きとう・こうり
ふうさん・もうき・もうぼ
りょうぜん

解答

1 風《ふう》餐《さん》露《ろ》宿《しゅく》
2 盲《もう》亀《き》浮《ふ》木《ぼく》
3 孟《もう》母《ぼ》断《だん》機《き》
4 阿《あ》附《ふ》（付）迎《げい》合《ごう》
5 一《いち》蓮《れん》托《たく》生《しょう》
6 一《いっ》張《ちょう》一《いっ》弛《し》
7 一《いち》目《もく》瞭《りょう》（了）然《ぜん》
8 加《か》持《じ》祈《き》祷《とう》
9 気《き》息《そく》奄《えん》奄《えん》
10 魚《ぎょ》網《もう》鴻《こう》離《り》

目標時間 15分

合格ライン 26点

得点 ／32　月　日

問3 次の1～6の**解説・意味**にあてはまる四字熟語を後の□から選び、その**傍線部分だけの読み**を**ひらがな**で記せ。

1 天と地すべての神々。
2 人生のはかないこと。
3 他人の力を借りないで物事を行う。
4 人情が厚く麗しい風俗や習慣。
5 矛盾していること。
6 きわめて短い時間。

> 白兎赤烏・煩悩菩提・赤手空拳・天神地祇・醇風美俗・自家撞着・紫電一閃・朝盈夕虚

解答

1 ちぎ（天神《てんしん》《てんじん》地祇《ちぎ》）
2 ちょうえい（朝盈夕虚《ちょうえいせききょ》）
3 くうけん（赤手空拳《せきしゅくうけん》）
4 じゅんぷう（醇風美俗《じゅんぷうびぞく》）
5 どうちゃく（自家撞着《じかどうちゃく》）
6 いっせん（紫電一閃《しでんいっせん》）

問4 次の1～6の**解説・意味**にあてはまる四字熟語を後の□から選び、その**傍線部分だけの読み**を**ひらがな**で記せ。

1 皆の意見がまとまらないこと。
2 つまらぬことしかできない人。
3 意志がしっかりしてゆるがないこと。
4 志を固く守ること。
5 真理を曲げ世間に迎合する。
6 小さなものが強大なものを制する。

> 博聞彊識・甲論乙駁・蚊虻走牛・金剛不壊・拍手喝采・曲学阿世・鶏鳴狗盗・確乎不抜

解答

1 おつばく（甲論乙駁《こうろんおつばく》）
2 くとう・こうとう（鶏鳴《けいめい》狗盗《くとう》《こうとう》）
3 かっこ（確乎不抜《かっこふばつ》）
4 ふえ（金剛不壊《こんごうふえ》）
5 あせい（曲学阿世《きょくがくあせい》）
6 ぶんぼう（蚊虻走牛《ぶんぼうそうぎゅう》）

B ランク

四字熟語①

目標時間 **15**分

合格ライン **26**点

得点 ／32 月 日

● 次の問1～問4の四字熟語について答えよ。

問1 次の四字熟語の（1～10）に入る適切な語を後の□から選び**漢字二字**で記せ。

（1）回帰　玉砕（6）

（2）生呑　欣喜（7）

（3）力行　君子（8）

（4）坑儒　経世（9）

（5）果断　狐狸（10）

えいごう・がぜん・かっぱく
きんけん・ごうき・さいみん
じゃくやく・ふんしょ
ひょうへん・ようかい

解答

1 永《えい》劫《ごう》回《かい》帰《き》
2 活《かっ》剝《ぱく》生《せい》呑《どん》
3 勤《きん》倹《けん》力《りっ》行《こう》
4 焚《ふん》書《しょ》坑《こう》儒《じゅ》
5 剛《ごう》毅《き》果《か》断《だん》
6 玉《ぎょく》砕《さい》瓦《が》全《ぜん》
7 欣《きん》喜《き》雀《じゃく》躍《やく》
8 君《くん》子《し》豹《ひょう》変《へん》
9 経《けい》世《せい》済《さい》民《みん》
10 狐《こ》狸《り》妖《よう》怪《かい》

問2 次の四字熟語の（1～10）に入る適切な語を後の□から選び**漢字二字**で記せ。

（1）定規　甲論（6）

（2）一律　獅子（7）

（3）暮蚊　自然（8）

（4）落飾　熟読（9）

（5）脱漏　清濁（10）

おつばく・がんみ・しゃくし
ずさん・せんぺん・ちょうよう
ていはつ・とうた・ふんじん
へいどん

解答

1 杓《しゃく》子《し》定《じょう》規《ぎ》
2 千《せん》篇《ぺん》（編）一《いち》律《りつ》
3 朝《ちょう》蠅《よう》暮《ぼ》蚊《ぶん》
4 剃《てい》髪《はつ》落《らく》飾《しょく》
5 杜《ず》撰《さん》脱《だつ》漏《ろう》
6 甲《こう》論《ろん》乙《おつ》駁《ばく》
7 獅《し》子《し》奮《ふん》迅《じん》
8 自《し》然《ぜん》淘《とう》汰《た》
9 熟《じゅく》読《どく》玩《がん》（翫）味《み》
10 清《せい》濁《だく》併《へい》呑《どん》

問3 次の1～6の**解説・意味**にあてはまる四字熟語を後の□から選び、その**傍線部分だけの読み**を**ひらがな**で記せ。

1 穏やかで誠実な性格のこと。
2 一様ではなく入り混じっていること。
3 常に変化して予測しがたい。
4 勢いが極めて盛んなこと。
5 仕える相手をよく検討すること。
6 視野や見識が狭いこと。

解答
1 とんこう（温柔敦厚《おんじゅうとんこう》）
2 しんし（参差錯落《しんしさくらく》）
3 いちえい（一虚一盈《いっきょいちえい》）
4 きょくじつ（旭日昇天《きょくじつしょうてん》）
5 りょうきん（良禽択木《りょうきんたくぼく》）
6 きてん（用管窺天《ようかんきてん》）

良禽択木・杯酒解怨・用管窺天
温柔敦厚・一虚一盈・旭日昇天
参差錯落・梅妻鶴子

問4 次の1～6の**解説・意味**にあてはまる四字熟語を後の□から選び、その**傍線部分だけの読み**を**ひらがな**で記せ。

1 顔や体が堂々として立派な様子。
2 怪しげなことばで人々を惑わせる。
3 物事に捉われず自由な様子。
4 つまらない者同士が騒ぎ立てること。
5 その人の権威や実力を疑うこと。
6 巧みに弁舌をふるうこと。

解答
1 ようぼう（容貌魁偉《ようぼうかいい》）
2 わくしゅう（妖言惑衆《ようげんわくしゅう》）
3 むげ（融通無碍《ゆうずうむげ》）
4 ゆうけん（邑犬群吠《ゆうけんぐんばい》）
5 もんてい（問鼎軽重《もんていけいちょう》）
6 じゅせつ（横説竪説《おうせつじゅせつ》）

波濤万里・内股膏薬・妖言惑衆
融通無碍・容貌魁偉・邑犬群吠
横説竪説・問鼎軽重

Bランク

四字熟語②

目標時間 15分

合格ライン 26点

得点 ／32 月 日

● 次の問1～問4の四字熟語について答えよ。

問1 次の四字熟語の（1～10）に入る適切な語を後の□から選び**漢字二字**で記せ。

（1）満門　粗酒（6）

（2）万頃　泰山（7）

（3）亀毛　長身（8）

（4）魚躍　張三（9）

（5）無頼　通暁（10）

いっぺき・えんぴ・こうもう
そうく・そさん・ちょうたつ
とうり・とかく・ほうとう
りし

解答

1 桃李満門《とうりまんもん》
2 一碧万頃《いっぺきばんけい》
3 兎角亀毛《とかくきもう》
4 鳶飛魚躍《えんびぎょやく》
5 放蕩無頼《ほうとうぶらい》
6 粗酒粗餐《そしゅそさん》
7 泰山鴻毛《たいざんこうもう》
8 長身痩軀《ちょうしんそうく》
9 張三李四《ちょうさんりし》
10 通暁暢達《つうぎょうちょうたつ》

問2 次の四字熟語の（1～10）に入る適切な語を後の□から選び**漢字二字**で記せ。

（1）身命　徒手（6）

（2）彊識　陶犬（7）

（3）惑衆　道聴（8）

（4）択木　拍手（9）

（5）羨魚　白兎（10）

がけい・かっさい・くうけん
せきう・とせつ・はくぶん
ふしゃく・ようげん
りょうきん・りんえん

解答

1 不惜身命《ふしゃくしんみょう》
2 博聞彊識《はくぶんきょうしき》
3 妖言惑衆《ようげんわくしゅう》
4 良禽択木《りょうきんたくぼく》
5 臨淵羨魚《りんえんせんぎょ》
6 徒手空拳《としゅくうけん》
7 陶犬瓦鶏《とうけんがけい》
8 道聴塗《どうちょうと》（途）説《せつ》
9 拍手喝采《はくしゅかっさい》（彩）
10 白兎赤烏《はくとせきう》

問3 次の1～6の**解説・意味**にあてはまる四字熟語を後の□から選び、その**傍線部分だけの読み**を**ひらがな**で記せ。

1 高潔の士は節操を変えないたとえ。
2 輝かしい評判があがること。
3 辻褄が合わないこと。
4 失敗後に改めること。
5 些細なことでも疎かにしないこと。
6 空がからりと晴れること。

頓首再拝・名声赫赫・堂塔伽藍
竹頭木屑・矛盾撞着・亡羊補牢
鳴蟬潔飢・碧落一洗

解答

1 めいせん（鳴蟬潔飢《めいせんけっき》）
2 かくかく（名声赫赫《めいせいかくかく》）
3 どうちゃく（矛盾撞着《むじゅんどうちゃく》）
4 ほろう（亡羊補牢《ぼうようほろう》）
5 ぼくせつ（竹頭木屑《ちくとうぼくせつ》）
6 へきらく（碧落一洗《へきらくいっせん》）

問4 次の1～6の**解説・意味**にあてはまる四字熟語を後の□から選び、その**傍線部分だけの読み**を**ひらがな**で記せ。

1 外見と中身がよく調和していること。
2 殺風景なことのたとえ。
3 世に隠れている逸材のこと。
4 曖昧な態度をとること。
5 美しい女性のこと。
6 顔立ちが美しく整っていること。

東窺西望・眉目秀麗・首鼠両端
伏竜鳳雛・投桃報李・文質彬彬
焚琴煮鶴・氷肌玉骨

解答

1 ひんぴん（文質彬彬《ぶんしつひんぴん》）
2 しゃかく（焚琴煮鶴《ふんきんしゃかく》）
3 ほうすう（伏竜鳳雛《ふくりょうほうすう》）
4 しゅそ（首鼠両端《しゅそりょうたん》）
5 ひょうき（氷肌玉骨《ひょうきぎょっこつ》）
6 びもく（眉目秀麗《びもくしゅうれい》）

四字熟語③

目標時間 15分

合格ライン 26点

得点 ／32 月 日

● 次の問1～問4の四字熟語について答えよ。

問1 次の四字熟語の（1～10）に入る適切な語を後の□から選び**漢字二字**で記せ。

（1）社鼠
（2）塗説
（3）心猿
（4）霧散
（5）万丈
筆耕（6）
百尺（7）
不失（8）
文質（9）
亡羊（10）

いば・うんしゅう・かんとう
けんでん・こうじん・じょうこ
せいこく・どうちょう・ひんぴん
ほろう

解答

1 城《じょう》狐《こ》社《しゃ》鼠《そ》
2 道《どう》聴《ちょう》塗《と》説《せつ》
3 意《い》馬《ば》心《しん》猿《えん》
4 雲《うん》集《しゅう》霧《む》散《さん》
5 黄《こう》塵《じん》万《ばん》丈《じょう》
6 筆《ひっ》耕《こう》硯《けん》田《でん》
7 百《ひゃく》尺《しゃく》竿《かん》頭《とう》（百尺《ひゃくせき》）
8 不《ふ》失《しっ》正《せい》鵠《こく》
9 文《ぶん》質《しつ》彬《ひん》彬《ぴん》
10 亡《ぼう》羊《よう》補《ほ》牢《ろう》

問2 次の四字熟語の（1～10）に入る適切な語を後の□から選び**漢字二字**で記せ。

（1）令月
（2）類狗
（3）佳人
（4）抽薪
（5）三遷
名声（6）
名誉（7）
融通（8）
容貌（9）
用管（10）

かいい・かくかく・がこ
かしん・きてん・さいし
ばんかい・ふてい
むげ・もうぼ

解答

1 嘉《か》（佳）辰《しん》令《れい》月《げつ》
2 画《が》虎《こ》類《るい》狗《く》
3 才《さい》子《し》佳《か》人《じん》
4 釜《ふ》底《てい》抽《ちゅう》薪《しん》
5 孟《もう》母《ぼ》三《さん》遷《せん》
6 名声赫赫《めいせいかくかく》（赫々）
7 名《めい》誉《よ》挽《ばん》回《かい》
8 融《ゆう》通《ずう》無《む》碍《げ》（礙）
9 容《よう》貌《ぼう》魁《かい》偉《い》
10 用《よう》管《かん》窺《き》天《てん》

問3 次の1～6の**解説・意味**にあてはまる四字熟語を後の□から選び、その**傍線部分だけの読み**を**ひらがな**で記せ。

1 弊害の原因を取り除くこと。
2 自らの本性に従って楽しむこと。
3 優秀な人材が多く集まること。
4 自由にのびのびと暮らすこと。
5 絶世の美人の形容。
6 遥かに続く海岸線のこと。

桃李満門・徒手空拳・沈魚落雁
長汀曲浦・閑雲野鶴・土崩瓦解
抜本塞源・鳶飛魚躍

解答

1 そくげん(抜本塞源《ばっぽんそくげん》)
2 えんぴ(鳶飛魚躍《えんぴぎょやく》)
3 とうり(桃李満門《とうりまんもん》)
4 やかく(閑雲野鶴《かんうんやかく》)
5 ちんぎょ(沈魚落雁《ちんぎょらくがん》)
6 ちょうてい(長汀曲浦《ちょうていきょくほ》)

問4 次の1～6の**解説・意味**にあてはまる四字熟語を後の□から選び、その**傍線部分だけの読み**を**ひらがな**で記せ。

1 とても悲しむ様子。
2 貪欲で残忍な人物のたとえ。
3 二者の差が著しいこと。
4 粗末な酒と食事のたとえ。
5 無能な者がいばり散らすこと。
6 心にけがれのないこと。

点滴穿石・粗酒粗餐・純真無垢
泰山鴻毛・瓦釜雷鳴・天香桂花
鷹視狼歩・泣血漣如

解答

1 れんじょ(泣血漣如《きゅうけつれんじょ》)
2 ようし(鷹視狼歩《ようしろうほ》)
3 たいざん(泰山鴻毛《たいざんこうもう》)
4 そさん(粗酒粗餐《そしゅそさん》)
5 がふ(瓦釜雷鳴《がふらいめい》)
6 じゅんしん(純真無垢《じゅんしんむく》)

Cランク

四字熟語①

目標時間 15分

合格ライン 26点

得点 ／32 月 日

● 次の問1～問4の四字熟語について答えよ。

問1 次の四字熟語の（1～10）に入る適切な語を後の□から選び**漢字二字**で記せ。

（1）顛倒　羊質（6）
（2）墨守　和光（7）
（3）粛粛　綾羅（8）
（4）傾城　暗中（9）
（5）雲客　挙措（10）

いっこ・かんり・きゅうとう
きんしゅう・けいしょう・こひ
しんたい・どうじん・べんせい
もさく

解答

1 冠履顛倒《かんりてんとう》
2 旧套墨守《きゅうとうぼくしゅ》
3 鞭声粛粛《べんせいしゅくしゅく》
4 一顧傾城《いっこけいせい》
5 卿相雲客《けいしょううんかく》
6 羊質虎皮《ようしつこひ》
7 和光同塵《わこうどうじん》
8 綾羅錦繡《りょうらきんしゅう》
9 暗中模（摸）索《あんちゅうもさく》
10 挙措進退《きょそしんたい》

問2 次の四字熟語の（1～10）に入る適切な語を後の□から選び**漢字二字**で記せ。

（1）舜雨　一世（6）
（2）頓挫　一碧（7）
（3）玉兎　因循（8）
（4）豚児　運否（9）
（5）瓢飲　河山（10）

ぎょうふう・きんう
けいさい・こそく・たいれい
たんし・てんぷ・ばんけい
ぼくたく・よくよう

解答

1 尭風舜雨《ぎょうふうしゅんう》
2 抑揚頓挫《よくようとんざ》
3 金烏玉兎《きんうぎょくと》
4 荊妻豚児《けいさいとんじ》
5 箪食瓢飲《たんしひょういん》
6 一世木鐸《いっせいぼくたく》
7 一碧万頃《いっぺきばんけい》
8 因循姑息《いんじゅんこそく》
9 運否天賦《うんぷてんぷ》
10 河山帯礪《かざんたいれい》

問3 次の1〜6の**解説・意味**にあてはまる四字熟語を後の□から選び、その**傍線部分だけの読み**を**ひらがな**で記せ。

1 無用の言論のたとえ。
2 慌てふためくこと。
3 応戦して敵につけ入られないようにする。
4 優れた人材が輩出すること。
5 これまでにない驚くような着想のこと。
6 意志が強く決定力があること。

剃髪落飾・剛毅果断・斬新奇抜・周章狼狽・芝蘭玉樹・鶴髪童顔・春蛙秋蟬・折衝禦侮

解答

1 しゅんあ（春《しゅん》蛙《あ》秋《しゅう》蟬《ぜん》）
2 ろうばい（周《しゅう》章《しょう》狼《ろう》狽《ばい》）
3 ぎょぶ（折《せっ》衝《しょう》禦《ぎょ》侮《ぶ》）
4 しらん（芝《し》蘭《らん》玉《ぎょく》樹《じゅ》）
5 ざんしん（斬《ざん》新《しん》奇《き》抜《ばつ》）
6 ごうき（剛《ごう》毅《き》果《か》断《だん》）

問4 次の1〜6の**解説・意味**にあてはまる四字熟語を後の□から選び、その**傍線部分だけの読み**を**ひらがな**で記せ。

1 西洋人のたとえ。
2 いかにも古めかしい様子。
3 貴重な物や重い地位のこと。
4 非常に嬉しい様子。
5 名誉に殉ずることと無為に生きること。
6 似て非なるもののたとえ。

通暁暢達・長鞭馬腹・古色蒼然・玉砕瓦全・紅毛碧眼・欣喜雀躍・魚目燕石・九鼎大呂

解答

1 へきがん（紅《こう》毛《もう》碧《へき》眼《がん》）
2 そうぜん（古《こ》色《しょく》蒼《そう》然《ぜん》）
3 きゅうてい（九《きゅう》鼎《てい》大《たい》呂《りょ》）
4 きんき（欣《きん》喜《き》雀《じゃく》躍《やく》）
5 がぜん（玉《ぎょく》砕《さい》瓦《が》全《ぜん》）
6 えんせき（魚《ぎょ》目《もく》燕《えん》石《せき》）

Cランク

四字熟語②

目標時間 15分

合格ライン 26点

得点 ／32

月　日

● 次の問1～問4の四字熟語について答えよ。

問1 次の四字熟語の（1～10）に入る適切な語を後の□から選び**漢字二字**で記せ。

（1）・妖怪　画虎・（6）

（2）陸離　臥薪（7）

（3）忠信　開門（8）

（4）・無稽　門前（9）

（5）復礼　眼高（10）

こうさい・こうてい
こうとう・こっき・こり
じゃくら・しゅてい・しょうたん
ゆうとう・るいく

解答

1 狐《こ》狸《り》・妖《よう》怪《かい》
2 光《こう》彩《さい》（采）陸《りく》離《り》
3 孝《こう》悌《てい》忠《ちゅう》信《しん》
4 荒《こう》唐《とう》・無《む》稽《けい》
5 克《こっ》己《き》復《ふく》礼《れい》
6 画《が》虎《こ》・類《るい》狗《く》
7 臥《が》薪《しん》嘗《しょう》胆《たん》
8 開《かい》門《もん》揖《ゆう》盗《とう》
9 門《もん》前《ぜん》雀《じゃく》羅《ら》
10 眼《がん》高《こう》手《しゅ》低《てい》

問2 次の四字熟語の（1～10）に入る適切な語を後の□から選び**漢字二字**で記せ。

（1）離垢　規矩（6）

（2）興亡　吉日（7）

（3）玉樹　魚目（8）

（4）為楽　金剛（9）

（5）盗鐘　桂殿（10）

えんじ・えんせき・おんじん
じゃくめつ・じゅんじょう
しらん・ちらん・ふえ
らんきゅう・りょうしん

解答

1 遠《おん》塵《じん》離《り》垢《く》
2 治《ち》乱《らん》興《こう》亡《ぼう》
3 芝《し》蘭《らん》玉《ぎょく》樹《じゅ》
4 寂《じゃく》滅《めつ》為《い》楽《らく》
5 掩《えん》耳《じ》盗《とう》鐘《しょう》
6 規《き》矩《く》準《じゅん》縄《じょう》
7 吉《きち》日《じつ》良《りょう》辰《しん》
8 魚《ぎょ》目《もく》燕《えん》石《せき》
9 金《こん》剛《ごう》不《ふ》壊《え》
10 桂《けい》殿《でん》蘭《らん》宮《きゅう》

問3 次の1～6の**解説・意味**にあてはまる四字熟語を後の□から選び、その**傍線部分だけの読み**を**ひらがな**で記せ。

1 仏教を排斥すること。
2 相手を見下しておごりたかぶること。
3 恐怖で身がすくむこと。
4 消息のないこと。
5 良い人材を求めるのに熱心なこと。
6 はっきりせず、ぼんやりしていること。

萎縮震慄・廃仏毀釈・箪食瓢飲
傲岸不遜・曖昧模糊・無影無踪
阿鼻叫喚・握髪吐哺

解答

1 きしゃく（廃《はい》仏《ぶつ》毀《き》釈《しゃく》）
2 ごうがん（傲《ごう》岸《がん》不《ふ》遜《そん》）
3 しんりつ（萎《い》縮《しゅく》震《しん》慄《りつ》）
4 むそう（無《む》影《えい》無《む》踪《そう》）
5 とほ（握《あく》髪《はつ》吐《と》哺《ほ》）
6 あいまい（曖《あい》昧《まい》模《も》糊《こ》）

問4 次の1～6の**解説・意味**にあてはまる四字熟語を後の□から選び、その**傍線部分だけの読み**を**ひらがな**で記せ。

1 悲しみの極みのこと。
2 ひややかにあざけり、盛んになじること。
3 時間は何より貴重であること。
4 美人の形容。
5 歳月のこと。
6 たくさんの物や人が入り乱れる様子。

尺璧非宝・冷嘲熱罵・鎧袖一触
金烏玉兎・羞花閉月・鼓腹撃壌
稲麻竹葦・哀毀骨立

解答

1 あいき（哀《あい》毀《き》骨《こつ》立《りつ》）
2 れいちょう（冷《れい》嘲《ちょう》熱《ねつ》罵《ば》）
3 せきへき（尺《せき》璧《へき》非《ひ》宝《ほう》）
4 しゅうか（羞《しゅう》花《か》閉《へい》月《げつ》）
5 きんう（金《きん》烏《う》玉《ぎょく》兎《と》）
6 ちくい（稲《とう》麻《ま》竹《ちく》葦《い》）

C ランク

四字熟語③

目標時間 15分

合格ライン 26点

得点 ／32 月 日

● 次の問1～問4の四字熟語について答えよ。

問1 次の四字熟語の（1～10）に入る適切な語を後の□から選び**漢字二字**で記せ。

（1）進退　鶏皮（6）
（2）玉杯　鼓腹（7）
（3）切切　宏大（8）
（4）東夷　紅毛（9）
（5）大儒　膏火（10）

かくはつ・げきじょう・じせん
しゅっしょ・せいじゅう
せいせい・せきがく・ぞうちょ
へきがん・むへん

解答

1 出《しゅっ》処《しょ》進《しん》退《たい》
2 象《ぞう》箸《ちょ》玉《ぎょく》杯《はい》
3 凄《せい》凄《せい》切《せつ》切《せつ》
4 西《せい》戎《じゅう》東《とう》夷《い》
5 碩《せき》学《がく》大《たい》儒《じゅ》
6 鶏《けい》皮《ひ》鶴《かく》髪《はつ》
7 鼓《こ》腹《ふく》撃《げき》壌《じょう》
8 宏《こう》大《だい》無《む》辺《へん》
9 紅《こう》毛《もう》碧《へき》眼《がん》
10 膏《こう》火《か》自《じ》煎《せん》

問2 次の四字熟語の（1～10）に入る適切な語を後の□から選び**漢字二字**で記せ。

（1）積玉　熱願（6）
（2）打坐　笑面（7）
（3）絶壁　錦心（8）
（4）累累　円木（9）
（5）一斑　三者（10）

けいちん・しかん・しし
しゅうこう・ぜんぴょう
たいきん・だんがい・ていりつ
やしゃ・れいてい

解答

1 堆《たい》金《きん》積《せき》玉《ぎょく》
2 只《し》管《かん》打《た》坐《ざ》
3 断《だん》崖《がい》絶《ぜっ》壁《ぺき》
4 死《し》屍《し》累《るい》累《るい》
5 全《ぜん》豹《ぴょう》一《いっ》斑《ぱん》
6 熱《ねつ》願《がん》冷《れい》諦《てい》
7 笑《しょう》面《めん》夜《や》叉《しゃ》
8 錦《きん》心《しん》繡《しゅう》口《こう》
9 円《えん》木《ぼく》警《けい》枕《ちん》
10 三《さん》者《しゃ》鼎《てい》立《りつ》

問3 次の1〜6の**解説・意味**にあてはまる四字熟語を後の□から選び、その**傍線部分だけの読み**を**ひらがな**で記せ。

1 自分の良心に偽って、悪事を働くこと。
2 国家を一新すること。
3 何事にもとらわれず自由な心持ちであること。
4 芸術や学問が滅びてなくなること。
5 権力者の近くにいる悪事を働く者。
6 生まれつき、弁舌がたくみで、行動が機敏であること。

城狐社鼠・凋零磨滅・和光同塵
掩耳盗鐘・遊戯三昧・相碁井目
資弁捷疾・旋乾転坤

解答

1 えんじ（掩耳盗鐘《えんじとうしょう》）
2 てんこん（旋乾転坤《せんけんてんこん》）
3 ざんまい（遊戯三昧《ゆげざんまい》）
4 ちょうれい（凋零磨滅《ちょうれいまめつ》）
5 しゃそ（城狐社鼠《じょうこしゃそ》）
6 しょうしつ（資弁捷疾《しべんしょうしつ》）

問4 次の1〜6の**解説・意味**にあてはまる四字熟語を後の□から選び、その**傍線部分だけの読み**を**ひらがな**で記せ。

1 老後の気ままな生活。
2 年月があっという間に過ぎていくこと。
3 勢いが途中でなくなること。
4 見かけが立派で中身が伴わない。
5 優れて立派な容姿のこと。
6 取るに足りない種々雑多な人や物。

竜章鳳姿・全豹一斑・含飴弄孫
抑揚頓挫・前途遼遠・兎走烏飛
羊頭狗肉・有象無象

解答

1 ろうそん（含飴弄孫《がんいろうそん》）
2 とそう（兎走烏飛《とそううひ》）
3 よくよう（抑揚頓挫《よくようとんざ》）
4 くにく（羊頭狗肉《ようとうくにく》）
5 ほうし（竜章鳳姿《りょうしょうほうし》）
6 うぞう（有象無象《うぞうむぞう》）

Cランク

四字熟語④

目標時間 15分

合格ライン 26点

得点　　／32　月　日

●次の問1～問4の四字熟語について答えよ。

問1 次の四字熟語の（1～10）に入る適切な語を後の□から選び**漢字二字**で記せ。

（1）行歩　麦秀（6）

（2）名人　知小（7）

（3）大呂　未来（8）

（4）章草　竜章（9）

（5）還郷　唇歯（10）

いきん・えいごう・きゅうてい
ざが・しょり・せきし
ほうし・ぼうだい・ほしゃ
ろぎょ

解答

1 坐《ざ》(座)臥《が》行《こう》歩《ほ》
2 碩《せき》師《し》名《めい》人《じん》
3 九《きゅう》鼎《てい》大《たい》呂《りょ》
4 魯《ろ》魚《ぎょ》章《しょう》草《そう》
5 衣《い》錦《きん》還《かん》郷《きょう》
6 麦《ばく》秀《しゅう》黍《しょ》離《り》
7 知《ち》小《しょう》謀《ぼう》大《だい》
8 未《み》来《らい》永《えい》劫《ごう》
9 竜章《りゅうしょう》《りょうしょう》鳳《ほう》姿《し》
10 唇《しん》歯《し》輔《ほ》車《しゃ》

問2 次の四字熟語の（1～10）に入る適切な語を後の□から選び**漢字二字**で記せ。

（1）堅固　身体（6）

（2）菩提　図南（7）

（3）錯節　水天（8）

（4）清秀　生呑（9）

（5）俗語　積善（10）

いっぺき・かっぱく・けんろう
はっぷ・ばんこん・びもく
へいだん・ほうよく・ぼんのう
よけい

解答

1 堅《けん》牢《ろう》堅《けん》固《ご》
2 煩《ぼん》悩《のう》菩《ぼ》提《だい》
3 盤《ばん》根《こん》錯《さく》節《せつ》
4 眉《び》目《もく》清《せい》秀《しゅう》
5 平《へい》談《だん》俗《ぞく》語《ご》
6 身《しん》体《たい》髪《はっ》膚《ぷ》
7 図《と》南《なん》鵬《ほう》翼《よく》
8 水《すい》天《てん》一《いっ》碧《ぺき》
9 生《せい》呑《どん》活《かっ》剥《ぱく》
10 積《せき》善《ぜんの》余《よ》慶《けい》

問3 次の1～6の**解説・意味**にあてはまる四字熟語を後の□から選び、その**傍線部分だけの読み**を**ひらがな**で記せ。

1 質素な建物のこと。
2 努力して学ぶ者と怠けて学ばない者には大きな差ができること。
3 老人の元気があり若々しいこと。
4 非常にむごたらしい様子。
5 隙間なく整然と並んでいること。
6 美しい女性のこと。

夜郎自大・鱗次櫛比・曲眉豊頰
土階茅茨・死屍累累・一竜一猪
刑鞭蒲朽・鶴髪童顔

解答

1 ぼうし（土《ど》階《かい》茅《ぼう》茨《し》）
2 いっちょ（一《いち》竜《りょう》一《いっ》猪《ちょ》）
3 かくはつ（鶴《かく》髪《はつ》童《どう》顔《がん》）
4 しし（死《し》屍《し》累《るい》累《るい》）
5 しっぴ（鱗《りん》次《じ》櫛《しっ》比《ぴ》）
6 ほうきょう（曲《きょく》眉《び》豊《ほう》頰《きょう》）

問4 次の1～6の**解説・意味**にあてはまる四字熟語を後の□から選び、その**傍線部分だけの読み**を**ひらがな**で記せ。

1 権力者に隠れて悪事を行う者。
2 幸運に恵まれること。
3 人に害を与えようとして自分に害が向かってくること。
4 物事の本質をとらえずに些末な事などにこだわること。
5 すぐれた人材が他へ移ってしまうこと。
6 盛んに生長し茂る様子。

暮色蒼然・禾黍油油・杓子果報
釈根灌枝・城狐社鼠・放蕩無頼
楚材晋用・向天吐唾

解答

1 しゃそ（城《じょう》狐《こ》社《しゃ》鼠《そ》）
2 しゃくし（杓《しゃく》子《し》果《か》報《ほう》）
3 とだ（向《こう》天《てん》吐《と》唾《だ》）
4 かんし（釈《しゃく》根《こん》灌《かん》枝《し》）
5 しんよう（楚《そ》材《ざい》晋《しん》用《よう》）
6 かしょ（禾《か》黍《しょ》油《ゆう》油《ゆう》）

C ランク

四字熟語⑤

● 次の問1～問4の四字熟語について答えよ。

問1 次の四字熟語の（1～10）に入る適切な語を後の□から選び**漢字二字**で記せ。

（1）曲筆　尭鼓（6）
（2）垢面　生死（7）
（3）自大　丁丁（8）
（4）煮鶴　動静（9）
（5）神工　邑犬（10）

うんい・きふ・ぐんばい
じだい・しゅんぼく・はっし
ぶぶん・ふんきん・ほうとう
やろう

解答

1 舞《ぶ》文《ぶん》曲《きょく》筆《ひつ》
2 蓬《ほう》頭《とう》垢《こう》面《めん》
3 夜《や》郎《ろう》自《じ》大《だい》
4 焚《ふん》琴《きん》煮《しゃ》鶴《かく》
5 鬼《き》斧《ふ》神《しん》工《こう》
6 尭《ぎょう》鼓《こ》舜《しゅん》木《ぼく》
7 生《しょう》死《じ》事《じ》大《だい》
8 丁丁《ちょうちょう》発《はっ》止《し》
9 動《どう》静《せい》云《うん》為《い》
10 邑《ゆう》犬《けん》群《ぐん》吠《ばい》

問2 次の四字熟語の（1～10）に入る適切な語を後の□から選び**漢字二字**で記せ。

（1）落雁　鶏鳴（6）
（2）夕虚　赤手（7）
（3）狼狽　杯酒（8）
（4）櫛比　披星（9）
（5）活剝　暮色（10）

かいえん・くうけん・くとう
しゅうしょう・せいどん
そうぜん・たいげつ・ちょうえい
ちんぎょ・りんじ

解答

1 沈《ちん》魚《ぎょ》落《らく》雁《がん》
2 朝《ちょう》盈《えい》夕《せき》虚《きょ》
3 周《しゅう》章《しょう》狼《ろう》狽《ばい》
4 鱗《りん》次《じ》櫛《しっ》比《ぴ》
5 生《せい》呑《どん》活《かっ》剝《ぱく》
6 鶏《けい》鳴《めい》狗《く》盗《とう》
7 赤《せき》手《しゅ》空《くう》拳《けん》
8 杯《はい》酒《しゅ》解《かい》怨《えん》
9 披《ひ》星《せい》戴《たい》月《げつ》
10 暮《ぼ》色《しょく》蒼《そう》然《ぜん》

目標時間 15分
合格ライン 26点
得点 ／32
月　日

問3 次の1～6の**解説・意味**にあてはまる四字熟語を後の□から選び、その**傍線部分だけの読み**を**ひらがな**で記せ。

1 永遠に変わらない誓い。

2 詩文の才能があること。

3 風流な隠遁生活を送ること。

4 多少欠点があっても、それを補うほど器が大きいこと。

5 できそうにないことを企てて、無駄に終わること。

6 筆跡が自由自在なさま。

七歩八叉・河山帯礪・山藪蔵疾
竜跳虎臥・氷肌玉骨・精衛塡海
紫電一閃・梅妻鶴子

解答

1 たいれい（河山帯礪《かざんたいれい》）

2 はっさ（七歩八叉《しちほはっさ》）

3 かくし（梅妻鶴子《ばいさいかくし》）

4 さんそう（山藪蔵疾《さんそうぞうしつ》）

5 てんかい（精衛塡海《せいえいてんかい》）

6 こが（竜跳虎臥《りゅうちょうこが》）

問4 次の1～6の**解説・意味**にあてはまる四字熟語を後の□から選び、その**傍線部分だけの読み**を**ひらがな**で記せ。

1 民間に伝わる言い伝えや物語。

2 名前と実体が伴わないこと。

3 行動・運命を共にすること。

4 大きな志。大きな目標。

5 くだらない人物がはびこること。

6 貧しい生活に耐えながら、勉学に励むこと。

図南鵬翼・朝蠅暮蚊・菟糸燕麦
稗官野史・只管打坐・穿壁引光
一蓮托生・和光同塵

解答

1 はいかん（稗官野史《はいかんやし》）

2 とし（菟糸燕麦《としえんばく》）

3 いちれん（一蓮托生《いちれんたくしょう》）

4 ほうよく（図南鵬翼《となんほうよく》）

5 ちょうよう（朝蠅暮蚊《ちょうようぼぶん》）

6 せんぺき（穿壁引光《せんぺきいんこう》）

Aランク 対義語・類義語①

目標時間 25分

合格ライン 39点

得点 ／48 月 日

● 次の**対義語**、**類義語**を後の□の中から選び、**漢字**で記せ。□の中の語は一度だけ使うこと。

対義語

1 枯渇

2 進取

3 緊張

4 険阻

5 文治

類義語

6 経緯

7 軽率

8 工面

9 滞在

10 退屈

けんたい・しかん・じゅういつ
そこつ・たいえい・てんまつ
とうりゅう・ねんしゅつ
ぶだん・へいたん

解答

1 充溢《じゅういつ》
2 退嬰《たいえい》
3 弛緩《しかん》
4 平坦《へいたん》
5 武断《ぶだん》
6 顛末《てんまつ》
7 粗忽《そこつ》
8 捻《ねん》(拈)出《しゅつ》
9 逗留《とうりゅう》
10 倦怠《けんたい》

対義語

11 快諾

12 停頓

13 凝視

14 尊崇

15 蓄財

類義語

16 台所

17 地獄

18 逐電

19 大書

20 突如

こつぜん・しゅっぽん
しゅんきょ・しんちょく
ちゅうぼう・とうじん・とくひつ
ならく・べっけん・ぼうとく

解答

11 峻拒《しゅんきょ》
12 進捗《しんちょく》(陟)
13 瞥見《べっけん》
14 冒瀆《ぼうとく》
15 蕩尽《とうじん》
16 厨房《ちゅうぼう》
17 奈《な》(那)落《らく》
18 出奔《しゅっぽん》
19 特筆《とくひつ》
20 忽然《こつぜん》

対義語

21 基幹
22 付与
23 明朗
24 露出
25 暗愚
26 威嚇
27 永住

類義語

28 容赦
29 花形
30 頑丈
31 器量
32 胡乱
33 空前
34 傾斜

あんうつ・いぶ・かぐう
かんじょ・けんろう・こうばい
しゃへい・そうめい・ちょうじ
はくだつ・まっしょう・みぞう
めんよう・ようぼう

解答

21 末梢《まっしょう》
22 •剝奪《はくだつ》
23 暗•鬱《あんうつ》
24 遮•蔽《しゃへい》
25 聡明《そうめい》
26 慰撫《いぶ》
27 仮寓《かぐう》
28 寛恕《かんじょ》
29 寵児《ちょうじ》
30 堅牢《けんろう》
31 容•貌《ようぼう》
32 面•妖《めんよう》
33 未•曽有《みぞう》
34 •勾配《こうばい》

対義語

35 恩人
36 会心
37 貫徹
38 起工
39 反逆
40 •僅少
41 繁栄

類義語

42 結局
43 固執
44 矛盾
45 抗論
46 洪水
47 出版
48 消去

きゅうてき・きょうじゅん
こうでい・ざせつ・しゅんせい
じょうし・しょせん・ちょうらく
つうこん・どうちゃく・ばくだい
はんばく・はんらん・ふっしょく

解答

35 仇敵《きゅうてき》
36 痛恨《つうこん》
37 •挫折《ざせつ》
38 竣成《しゅんせい》
39 恭順《きょうじゅん》
40 莫大《ばくだい》
41 凋落《ちょうらく》
42 所•詮《しょせん》
43 拘泥《こうでい》
44 撞着《どうちゃく》(著)
45 反駁《はんばく》
46 •氾《はん》(•汎)濫《らん》
47 上梓《じょうし》
48 払•拭《ふっしょく》

A ランク

対義語・類義語②

目標時間 25分

合格ライン 39点

得点 ／48

月 日

●次の**対義語**、**類義語**を後の□の中から選び、**漢字**で記せ。□の中の語は一度だけ使うこと。

対義語

1 軽侮
2 激賞
3 豪胆
4 祝賀
5 熟視

類義語

6 絶壁
7 大儀
8 未明
9 通暁
10 碇泊

いけい・いちべつ・おくびょう
おっくう・けんがい・ちしつ
ちょうとう・つうば・とうびょう
まいそう

解答

1 •畏敬《いけい》
2 痛•罵《つうば》
3 •臆病《おくびょう》
4 弔悼《ちょうとう》
5 一瞥《いちべつ》
6 懸•崖《けんがい》
7 億劫《おっくう》
8 •昧•爽《まいそう》
9 知悉《ちしつ》
10 投錨《とうびょう》

対義語

11 遵奉
12 称賛
13 永劫
14 清楚
15 精密

類義語

16 童心
17 道楽
18 難解
19 繁栄
20 復活

あくば・いはい・かいじゅう
ずさん・せつな・そせい・ちき
のうえん・ほうとう
りゅうしょう

解答

11 違背《いはい》
12 悪•罵《あくば》
13 •刹那《せつな》
14 濃•艶《のうえん》
15 杜撰《ずさん》
16 稚気《ちき》
17 放蕩《ほうとう》
18 晦渋《かいじゅう》
19 隆昌《りゅうしょう》
20 蘇《そ》（甦）生《せい》

対義語

21 寛容
22 浅瀬
23 鮮明
24 爽快
25 尊敬
26 秩序
27 斬新

類義語

28 腹心
29 払拭
30 魔手
31 無惨
32 愉悦
33 誘発
34 意趣

いっそう・うっくつ・えんこん
きんき・ここう・こんとん
さんび・じゃっき・しゅんげん
しんえん・そうが・ちんとう
ぶべつ・もこ

解答

21 峻厳《しゅんげん》
22 深淵《しんえん》
23 模糊《もこ》
24 鬱屈《うっくつ》
25 侮蔑《ぶべつ》
26 混《こん》（渾）沌《とん》
27 陳套《ちんとう》
28 股肱《ここう》
29 一掃《いっそう》
30 爪牙《そうが》
31 酸鼻《さんび》
32 欣喜《きんき》
33 惹起《じゃっき》
34 怨恨《えんこん》

対義語

35 卑近
36 優柔
37 追跡
38 進捗
39 該博
40 没落
41 未熟

類義語

42 隠蔽
43 可憐
44 永眠
45 穎敏
46 横行
47 愚昧
48 密偵

うえん・かだん・かんちょう
ぎょうたい・さいり
せいそ・ちょうせい・ちょうりょう
とんそう・ひとく・ぼっこう
もうまい・ろうれん・ろどん

解答

35 迂《う》（紆）遠《えん》
36 果断《かだん》
37 遁《とん》（遯）走《そう》
38 凝滞《ぎょうたい》
39 蒙昧《もうまい》
40 勃興《ぼっこう》
41 老練《ろうれん》
42 秘匿《ひとく》
43 清楚《せいそ》
44 長逝《ちょうせい》
45 犀利《さいり》
46 跳梁《ちょうりょう》
47 魯鈍《ろどん》
48 間諜《かんちょう》

B ランク

対義語・類義語①

目標時間 25分

合格ライン 39点

得点 ／48 月 日

● 次の**対義語**、**類義語**を後の□の中から選び、**漢字**で記せ。□の中の語は一度だけ使うこと。

対義語

1 軟弱
2 不毛
3 富貴
4 黄昏
5 懸絶

類義語

6 果報
7 •苛烈
8 懐柔
9 核心
10 •葛•藤

きょうこう・しゅんげん
せいこく・はくちゅう・ひよく
ひんせん・まいたん・みょうり
もんちゃく・ろうらく

解答

1 強硬《きょうこう》
2 肥•沃《ひよく》
3 貧賤《ひんせん》
4 昧旦《まいたん》
5 伯仲《はくちゅう》
6 •冥利《みょうり》
7 峻厳《しゅんげん》
8 •籠絡《ろうらく》
9 正鵠《せいこく》
10 悶着《もんちゃく》

対義語

11 暴露
12 •弥縫
13 危惧
14 乱射
15 灌木

類義語

16 茅屋
17 傍観
18 監視
19 看破
20 還付

あんど・いんぺい・きょうぼく
ざし・しょうかい・そうあん
そげき・どうさつ・はたん
へんれい

解答

11 隠（陰）•蔽《いんぺい》
12 破•綻《はたん》
13 安（案）堵《あんど》
14 •狙撃《そげき》
15 喬木《きょうぼく》
16 草庵（菴）《そうあん》
17 座（坐）視《ざし》
18 哨戒《しょうかい》
19 洞察《どうさつ》
20 返戻《へんれい》

対義語

21 安泰
22 一斑
23 英明
24 恩愛
25 回復
26 晦日
27 近接

類義語

28 閑居
29 寄留
30 偽作
31 虚言
32 危地
33 逆浪
34 不世出

えんこん・かぐう・がんさく
きたい・けう・けんかく・ぐまい
ここう・さくじつ・しっつい
ぜんぼう・どとう・もうご
ゆうせい

解答

21 危殆《きたい》
22 全貌《ぜんぼう》
23 愚昧《ぐまい》
24 怨恨《えんこん》
25 失墜《しっつい》
26 朔日《さくじつ》
27 懸隔《けんかく》
28 幽棲《ゆうせい》（栖）
29 仮寓《かぐう》
30 贋作《がんさく》
31 妄語《もうご》
32 虎口《ここう》
33 怒濤《どとう》
34 稀（希）有《けう》

対義語

35 謙抑
36 覚醒
37 寛大
38 配下
39 簡明
40 出世間
41 貴顕

類義語

42 虚実
43 競争
44 強固
45 鳳雛
46 教導
47 興廃
48 鉄面皮

かいじゅう・かくちく・きりんじ
けんろう・げんぞく・こんすい
しゅかい・しゅんれつ
しょうちょう・しんがん・はれんち
びせん・ふそん・ぼくたく

解答

35 不遜《ふそん》
36 昏睡《こんすい》
37 峻烈《しゅんれつ》
38 首魁《しゅかい》
39 晦渋《かいじゅう》
40 還俗《げんぞく》
41 微賤《びせん》
42 真贋《しんがん》
43 角逐《かくちく》
44 堅牢《けんろう》
45 麒麟児《きりんじ》
46 木鐸《ぼくたく》
47 消長《しょうちょう》
48 破廉恥《はれんち》

B ランク

対義語・類義語②

● 次の**対義語**、**類義語**を後の□の中から選び、**漢字**で記せ。□の中の語は一度だけ使うこと。

目標時間 25分

合格ライン 39点

得点 ／48 月 日

対義語

1 奇手

2 賢明

3 新奇

4 匡正

5 狭量

類義語

6 極意

7 近道

8 億劫

9 軽侮

10 激昂

うぐ・おうよう・ぎゃくじょう
きゅうとう・しょうけい
じょうせき・たいぎ・ひけつ
べっし・わいきょく

解答

1 定石《じょうせき》（跡）
2 迂愚《うぐ》
3 旧套《きゅうとう》
4 歪曲《わいきょく》
5 鷹揚《おうよう》
6 秘訣《ひけつ》
7 捷径《しょうけい》
8 大儀《たいぎ》
9 蔑視《べっし》
10 逆上《ぎゃくじょう》

対義語

11 凝滞

12 欣快

13 平明

14 懸念

15 凶兆

類義語

16 激浪

17 傑出

18 蒼天

19 互角

20 口調

あんど・かいじゅう・こうふん
しゅうしょう・しんちょく
ずいしょう・たくえつ・どとう
はくちゅう・へきくう

解答

11 進捗《しんちょく》（陟）
12 愁傷《しゅうしょう》
13 晦渋《かいじゅう》
14 安《あん》（案）堵《ど》
15 瑞祥《ずいしょう》（象）
16 怒濤《どとう》
17 卓越《たくえつ》
18 碧空《へきくう》
19 伯仲《はくちゅう》
20 口吻《こうふん》

対義語

21 繊弱
22 広漠
23 荒蕪
24 昏迷
25 混同
26 聡慧
27 重大

類義語

28 高慢
29 懇切
30 根城
31 悠揚
32 市井
33 死別
34 続出

えいけつ・かくせい・きょうさく
ぐまい・けんろう・こうかん
ささい・しゅんべつ・しょうよう
そうくつ・ていちょう
ひんぱつ・ふそん・ほうよく

解答

21 堅牢《けんろう》
22 狭窄《きょうさく》
23 豊《ほう》•沃《よく》
24 覚《かく》•醒《せい》
25 峻別《しゅんべつ》
26 愚《ぐ》•昧《まい》
27 些《さ》(瑣)細《さい》
28 不《ふ》•遜《そん》
29 鄭《てい》(丁)重《ちょう》
30 巣《そう》•窟《くつ》
31 従《しょう》(縦)容《よう》
32 巷間《こうかん》
33 永訣《えいけつ》
34 頻発《ひんぱつ》

対義語

35 失墜
36 諫言
37 断行
38 称讃
39 出立
40 潤沢
41 捷径

類義語

42 執着
43 収奪
44 周章
45 終身
46 出家
47 出色
48 出奔

うろ・こうでい・さくしゅ
ちぎ・ちくでん・ちょうば
ついしょう・とうりゅう
とんせい・はくび・ばんかい
ひっせい・ひっぱく・ろうばい

解答

35 挽回《ばんかい》
36 追従《ついしょう》
37 遅疑《ちぎ》
38 嘲罵《ちょうば》
39 逗留《とうりゅう》
40 逼迫《ひっぱく》
41 迂路《うろ》
42 拘泥《こうでい》
43 搾取《さくしゅ》
44 狼狽《ろうばい》
45 畢生《ひっせい》
46 遁《とん》(遯)世《せい》
47 白《はく》•眉《び》
48 逐電《ちくでん》

C ランク

対義語・類義語①

目標時間 25分

合格ライン 39点

得点 ／48 月 日

● 次の**対義語**、**類義語**を後の□の中から選び、**漢字**で記せ。□の中の語は一度だけ使うこと。

対義語

1 明瞭

2 崇敬

3 正史

4 静寂

5 接着

類義語

6 峻厳

7 招来

8 消極

9 素朴

10 学識

かれつ・けんそう・じゃっき・じゅんしん・ぞうけい・たいえい・はいし・はくり・ぼうとく・もこ

解答

1 模糊《もこ》 2 冒瀆《ぼうとく》 3 稗史《はいし》 4 喧騒《けんそう》 5 剝離《はくり》 6 苛烈《かれつ》 7 惹起《じゃっき》 8 退嬰《たいえい》 9 純真《じゅんしん》 10 造詣《ぞうけい》

対義語

11 適合

12 出仕

13 武断

14 蒼白

15 騒擾

類義語

16 過褒

17 行方

18 次第

19 偵察

20 敬老

あんたい・いつび・きすう・こうちょう・しょうし・せっこう・ちし・てんまつ・はいち・ぶんち

解答

11 背馳《はいち》 12 致仕《ちし》 13 文治《ぶんち》 14 紅潮《こうちょう》 15 安泰《あんたい》 16 溢美《いつび》 17 帰趨《きすう》 18 顚末《てんまつ》 19 斥候《せっこう》 20 尚歯《しょうし》

対義語

21 惰弱
22 駄馬
23 泰然
24 大度
25 悠悠
26 遅疑
27 軟弱

類義語

28 全快
29 大略
30 消長
31 争覇
32 際会
33 至純
34 旺盛

きゅうきゅう・きょうこう
きょうりょう・けんこう・こうがい
ごうき・しゅんめ・だんこう
ちくろく・ふちん・へいゆ
ほうちゃく・むく・ろうばい

解答

21 剛《ごう》(豪)毅《き》
22 駿馬《しゅんめ》
23 狼狽《ろうばい》
24 狭量《きょうりょう》
25 汲汲《きゅうきゅう》(汲々)
26 断行《だんこう》
27 強硬《きょうこう》
28 平癒《へいゆ》
29 •梗概《こうがい》
30 浮沈《ふちん》
31 逐•鹿《ちくろく》
32 逢着《ほうちゃく》(著)
33 無垢《むく》
34 軒昂《けんこう》

対義語

35 蓄積
36 抽出
37 直進
38 天神
39 展開
40 得度
41 鈍重

類義語

42 脱俗
43 台頭
44 卓越
45 鍛錬
46 退却
47 脱落
48 卓出

いんとん・うかい・えいだつ
げんぞく・しっかい・ちぎ
ていとん・とうじん・とうや
とんそう・びんしょう・ぼっこう
らくご・りょうが

解答

35 蕩尽《とうじん》
36 悉皆《しっかい》
37 迂回《うかい》
38 地祇《ちぎ》
39 停•頓《ていとん》
40 還俗《げんぞく》
41 敏捷《びんしょう》
42 隠遁《いんとん》
43 •勃興《ぼっこう》
44 凌《りょう》(陵)駕《が》
45 陶•冶《とうや》
46 遁走《とんそう》
47 落伍《らくご》(後)
48 穎脱《えいだつ》

Cランク

対義語・類義語②

目標時間 25分

合格ライン 39点

得点 ／48 月 日

● 次の**対義語**、**類義語**を後の□の中から選び、**漢字**で記せ。□の中の語は一度だけ使うこと。

対義語

1 豊稔

2 奇抜

3 抑止

4 根幹

5 消沈

類義語

6 対立

7 突飛

8 営営

9 隆昌

10 人民

えいよう・ききょう・きょうこう・けんこう・しし・じょうとう・せんどう・そうこく・そうせい・まっしょう

解答

1 凶荒《きょうこう》

2 常套《じょうとう》

3 煽《せん》(扇)動《どう》

4 末梢《まっしょう》

5 軒昂《けんこう》

6 相克《そうこく》(剋)

7 奇矯《ききょう》

8 孜孜《しし》(孳孳)

9 栄耀《えいよう》

10 蒼生《そうせい》

対義語

11 抗争

12 平坦

13 峻険

14 旭日

15 薄暮

類義語

16 忽如

17 穎悟

18 尾根

19 物故

20 窮乏

がぜん・きゅうしゅん・しゃよう・そうめい・たんい・ちょうせい・ひっぱく・ふつぎょう・りょうせん・わぼく

解答

11 和睦《わぼく》

12 急峻《きゅうしゅん》

13 坦夷《たんい》

14 斜陽《しゃよう》

15 払暁《ふつぎょう》

16 俄然《がぜん》

17 聡明《そうめい》

18 稜線《りょうせん》

19 長逝《ちょうせい》

20 逼迫《ひっぱく》

対義語

21 悲傷
22 論難
23 公平
24 懲戒
25 真作
26 安寧
27 明解

類義語

28 青二才
29 朝暮
30 図星
31 尽日
32 平伏
33 壊滅
34 旅費

かいじゅう・がかい・がんさく・きんえつ・こうとう・しゅくや・じゅし・じょうらん・せいこく・たんせき・はんばく・へんぱ・ろぎん・ゆうめん

解答

21 欣悦《きんえつ》
22 反駁《はんばく》(駮)
23 偏頗《へんぱ》
24 宥免《ゆうめん》
25 贋作《がんさく》
26 擾乱《じょうらん》
27 晦渋《かいじゅう》
28 竪《じゅ》(孺)子《し》
29 旦夕《たんせき》
30 正鵠《せいこく》
31 夙夜《しゅくや》
32 叩頭《こうとう》
33 瓦解《がかい》
34 路銀《ろぎん》

対義語

35 迫害
36 遅鈍
37 微賤
38 勤労
39 栄華
40 強靱
41 破綻

類義語

42 洞察力
43 過誤
44 恋慕
45 遭遇
46 逃亡
47 仲介
48 浅膚

あっせん・けいがん・けそう・けんき・ごびゅう・ぜいじゃく・ちょうらく・とんそう・ひご・ひそう・びほう・びんしょう・ほうちゃく・ゆうとう

解答

35 庇護《ひご》
36 敏捷《びんしょう》
37 顕貴《けんき》
38 遊《ゆう》(游)蕩《とう》
39 凋落《ちょうらく》
40 脆弱《ぜいじゃく》
41 弥縫《びほう》
42 慧眼《けいがん》
43 誤謬《ごびゅう》
44 懸想《けそう》
45 逢着《ほうちゃく》(著)
46 遁走《とんそう》
47 斡旋《あっせん》
48 皮相《ひそう》

A ランク

故事・諺①

目標時間 25分
合格ライン 39点
得点 /48
月 日

● 次の故事・成語・諺の**カタカナ**の部分を**漢字**で記せ。

1 **センダン**は双葉より芳し。
2 **ソウコウ**の妻は堂より下さず。
3 天網**カイカイ**疎にして漏らさず。
4 **テップ**の急。
5 **カデン**に履を納れず。
6 昔とった**キネヅカ**。
7 人間万事**サイオウ**が馬。
8 桜三月、**ショウブ**は五月。
9 元の**サヤ**に収まる。
10 下手な**アンマ**と仲裁は初めより悪くなる。

解答
1 栴檀
2 糟糠
3 恢恢
4 轍鮒
5 瓜田
6 杵柄
7 塞翁
8 菖蒲
9 鞘
10 按摩

11 **ノレン**に腕押し。
12 虎に翼、獅子に**ヒレ**。
13 親の欲目と他人の**ヒガメ**。
14 **アイサツ**は時の氏神。
15 **セイコク**を射る。
16 **エンオウ**の契り。
17 **カセイ**は虎よりも猛し。
18 一富士二鷹三**ナスビ**。
19 失策は人にあり、**カンジョ**は神にあり。
20 **キカ**居くべし。

解答
11 暖簾
12 鰭
13 僻目
14 挨拶
15 正鵠
16 鴛鴦
17 苛政
18 茄子(茄)
19 寛恕
20 奇貨

21 幽谷より出でて**キョウボク**に遷る。
22 **ソバ**の花見て蜜を取れ。
23 **ケサ**と衣は心に着よ。
24 夫婦**ゲンカ**は犬も食わぬ。
25 **コウゼン**の気を養う。
26 理屈と**コウヤク**はどこへでもつく。
27 世渡りの殺生は**シャカ**も許す。
28 **シュツラン**の誉れ。
29 門前**ジャクラ**を張る。
30 一斑を見て**ゼンピョウ**をトす。
31 万緑**ソウチュウ**紅一点。
32 渇すれども**トウセン**の水を飲まず、熱しても悪木の陰に息《いこ》わず。
33 網**ドンシュウ**の魚を漏らす。
34 柳下恵は**アメ**を見て老人を養う物とし、盗跖《とうせき》は錠を開くるに良き物とす。

21 喬木
22 蕎麦
23 袈裟
24 喧嘩・諠譁
25 浩然
26 膏薬
27 釈迦
28 出藍
29 雀羅
30 全豹
31 叢中
32 盗泉
33 呑舟
34 飴

35 **ノミ**の息も天に上がる。
36 煩悩なければ**ボダイ**なし。
37 **カコウ**有りといえども、食らわずんばその旨きを知らず。
38 **ホウオウ**群鶏と食を争わず。
39 **ミノ**作る人は笠を着る。
40 風が吹けば**オケヤ**が儲かる。
41 玉の**コシ**に乗る。
42 武士は食わねど高**ヨウジ**。
43 危うきこと**ルイラン**の如し。
44 筆を誤りて**ハエ**を作る。
45 **アブハチ**取らず。
46 錐の**ノウチュウ**に処るがごとし。
47 **イソ**の鮑《あわび》の片思い。
48 国に**イサ**むる臣あればその国必ず安し。

35 蚤
36 菩提
37 嘉(佳)肴
38 鳳凰
39 蓑
40 桶屋
41 輿
42 楊枝(子)
43 累卵
44 蠅
45 虻・蜂
46 嚢中
47 磯
48 諫

A ランク

故事・諺②

目標時間 25分
合格ライン 39点
得点 /48
月 日

●次の故事・成語・諺のカタカナの部分を漢字で記せ。

1 犬骨折って鷹の**エジキ**。
2 衣食足りて**エイジョク**を知る。
3 珍客も長座に過ぎれば**イト**われる。
4 開いた口へ**ボタモチ**。
5 **ホウライ**弱水の隔たり。
6 **ブンボウ**牛羊を走らす。
7 **カイケイ**の恥を雪ぐ。
8 **カニ**は甲羅に似せて穴を掘る。
9 天は尊く地は卑しくして**ケンコン**定まる。
10 **クツワ**の音にも目を覚ます。

解答
1 餌食
2 栄辱
3 厭
4 牡丹餅
5 蓬莱
6 蚊虻
7 会稽
8 蟹
9 乾坤
10 轡（銜・勒）

11 **コウジ**の下必ず死魚有り。
12 **キュウソ**猫を嚙む。
13 禍福は**アザナ**える縄の如し。
14 瓢簞から**コマ**が出る。
15 百尺**カントウ**一歩を進む。
16 火中の**クリ**を拾う。
17 **ハック**の隙を過ぐるが若し。
18 家貧しくして**コウシ**顕れ、世乱れて忠臣を識る。
19 **ヒジ**鉄砲を食わせる。
20 **コウヤ**の白袴。

解答
11 香餌
12 窮鼠
13 糾
14 駒
15 竿頭
16 栗
17 白駒
18 孝子
19 肘（肱）
20 紺屋

21 セッタの裏に灸。
22 死は或いは泰山より重く、或いはコウモウより軽し。
23 地獄のサタも金次第。
24 サギは洗わねどもその色白し。
25 身から出たサビ。
26 ワサビと浄瑠璃は泣いて誉める。
27 洛陽のシカを高める。
28 創業は易く、シュセイは難し。
29 富貴にして故郷に帰らざるは、シユウを衣て夜行くがごとし。
30 カネや太鼓で探す。
31 点滴石をもウガつ。
32 リカ一枝春雨を帯ぶ。
33 ソウメンで首くくる。
34 骨折り損の草臥れモウけ。

21 雪駄(踏)
22 鴻毛
23 沙汰
24 鷺
25 錆
26 山葵
27 紙価
28 守成
29 繡
30 鉦
31 穿
32 梨花
33 索(素)麺
34 儲

35 天を仰いでツバキする。
36 クモの子を散らす。
37 糠にクギ。
38 カナエの軽重を問う。
39 トタンの苦しみ。
40 キセンの分かつところは行の善悪にあり。
41 ウドの大木。
42 トビが鷹を生む。
43 付け焼き刃はナマりやすい。
44 知らぬ神よりナジみの鬼。
45 鍋釜がニギわう。
46 ヌれ手で粟。
47 ビワが黄色くなると医者が忙しくなる。
48 ヒップも志を奪うべからず。

35 唾
36 蜘蛛
37 釘
38 鼎
39 塗炭
40 貴賤
41 独活
42 鳶
43 鈍
44 馴染
45 賑
46 濡
47 枇杷
48 匹夫

B ランク

故事・諺①

目標時間 25分

合格ライン 39点

得点 /48 月 日

● 次の故事・成語・諺の**カタカナ**の部分を**漢字**で記せ。

1 **ヒョウタン**から駒が出る。
2 **ヒル**に塩。
3 門松は**メイド**の旅の一里塚。
4 自家**ヤクロウ**中の物。
5 人生、字を識るは**ユウカン**の始め。
6 **ウケ**に入る。
7 **リョウキン**は木を択ぶ。
8 **ルリ**の光も磨きがら。
9 羊を亡いて**ロウ**を補う。
10 **シャクシ**で腹を切る。

解答

1 瓢簞
2 蛭
3 冥途（土）
4 薬籠
5 憂患
6 有卦
7 良禽
8 瑠璃
9 牢
10 杓子

11 歓楽極まりて**アイジョウ**多し。
12 **ヨシ**の髄から天井を覗く。
13 **ヤミヨ**に烏、雪に鷺。
14 **イハツ**を継ぐ。
15 野に**イケン**無し。
16 大勇は**キョウ**なるが如く大智は愚なるが如し。
17 **イチモツ**の鷹も放さねば捕らず。
18 **イワシ**の頭も信心から。
19 **ウロ**の争い。
20 子供の**ケンカ**に親が出る。

解答

11 哀情
12 葦（蘆・葭）
13 闇夜
14 衣鉢
15 遺賢
16 怯
17 逸物
18 鰯
19 烏鷺
20 喧嘩・諠譁

21 朝に**コウガン**ありて夕べに白骨となる。
22 **ヒバリ**の口に鳴子。
23 **キンジョウ**に花を添える。
24 正直貧乏 横着**エイヨウ**。
25 **コウセン**の路上老少無し。
26 難波の葦は伊勢の浜**オギ**。
27 愛**オクウ**に及ぶ。
28 **キャラ**の仏に箔を置く。
29 朝菌は**カイサク**を知らず。
30 **ケシ**の中に須弥山あり。
31 **ガイコツ**を乞う。
32 **エンジャク**安んぞ鴻鵠の志を知らんや。
33 河童の**カンゲイコ**。
34 **タマキ**の端無きが如し。

21 紅顔
22 雲雀・告天子
23 錦上
24 栄耀
25 黄泉
26 荻
27 屋烏
28 伽羅
29 晦朔
30 芥子・罌粟
31 骸骨
32 燕雀
33 寒稽古
34 環(手纏)

35 **カンタン**相照らす。
36 **キシン**矢の如し。
37 **エテ**に帆を揚げる。
38 断じて行えば**キシン**も之を避く。
39 大行は**サイキン**を顧みず、大礼は小譲を辞せず。
40 **マリ**と手と歌は公家の業。
41 **オウム**能く言えども飛鳥を離れず。
42 **タカジョウ**の子は鳩を馴らす。
43 **セイア**は以て海を語るべからず。
44 **タ**めるなら若木のうち。
45 遠慮なければ**キンユウ**あり。
46 **カナヅチ**の川流れ。
47 薬の**ヤイト**は身に熱く、毒な酒は甘い。
48 **クボ**き所に水溜まる。

35 肝胆
36 帰心
37 得手
38 鬼神
39 細謹
40 鞠(毬)
41 鸚鵡
42 鷹匠
43 井蛙
44 矯
45 近憂
46 金槌(鎚)
47 灸
48 窪(凹)

B ランク

故事・諺②

目標時間 25分

合格ライン 39点

得点 ／48

月　日

● 次の故事・成語・諺の**カタカナ**の部分を**漢字**で記せ。

1 欲の**クマタカ**、股裂くる。

2 田も遣ろう、**アゼ**も遣ろう。

3 文章は**ケイコク**の大業、不朽の盛事。

4 **ツナ**がぬ舟の浮きたる例なし。

5 **ケイグン**の一鶴。

6 **コショウ**鳴らし難し。

7 **コリ**の精、尾を露す。

8 **コチョウ**の夢。

9 天地は万物の**ゲキリョ**、光陰は百代の過客。

10 **コウフン**花を生ず。

解答

1 熊鷹
2 畦（畔）
3 経国
4 繋
5 鶏群
6 孤掌
7 狐狸
8 胡（蝴）蝶
9 逆旅
10 口吻

11 **リッスイ**の余地がない。

12 **コウサ**は拙誠に如かず。

13 土用**ウシ**に鰻。

14 魚の**フチュウ**に遊ぶが如し。

15 味噌**コ**しで水を掬う。

16 **サイシン**の憂い有りて朝に造る能わず。

17 大山も**ギケツ**より崩る。

18 旅の犬が尾を**スボ**める。

19 歳寒くして**ショウハク**の凋むに後るるを知る。

20 負け相撲の痩せ**シコ**。

解答

11 立錐
12 巧詐
13 丑
14 釜中
15 漉（濾）
16 采（採）薪
17 蟻穴
18 窄
19 松柏
20 四股

21 馬革に**シカバネ**をつつむ。
22 **タタ**くに小を以てすれば、則ち小鳴す。
23 眼光**シハイ**に徹す。
24 湯の**ジギ**は水になる。
25 **シックイ**の上塗りに借金の目塗り。
26 匕首《あいくち》に**ツバ**を打ったよう。
27 **コヒョウ**の駒は食牛の気あり。
28 至貴は**シャク**を待たず。
29 人を**ノロ**わば穴二つ。
30 **シュウビ**を開く。
31 虎の能く狗を服する所以のものは**ソウガ**なり。
32 **シュンメ**痴漢を乗せて走る。
33 青麦に**コウ**れ稲。
34 盤根**サクセツ**に遇いて利器を知る。

21 屍（尸）
22 叩（扣）
23 紙背
24 辞儀（宜）
25 漆喰
26 鍔（鐔）
27 ・虎豹
28 爵
29 ・呪（詛）
30 ・愁眉
31 ・爪・牙
32 駿馬
33 小熟
34 錯節

35 麦藁**タコ**に祭鱧。
36 **コブシ**の花の盛りが苗代の盛り。
37 生は**ジンコウ**なり、死生は昼夜たり。
38 座敷の**チリトリ**団扇ですます。
39 傘と**チョウチン**は戻らぬつもりで貸せ。
40 **キンラン**の契り。
41 紅旗**セイジュウ**吾が事に非ず。
42 修身**セイカ**治国平天下。
43 澹泊の士は必ず**ノウエン**の者の疑うところとなる。
44 鬼の女房に**ヤシャ**がなる。
45 大海を耳**カ**きで測る。
46 昔は**ヤリ**が迎えに来た。
47 狡兎死して**ソウク**烹らる。
48 鳥窮すれば則ち**ツイバ**む。

35 章魚（蛸・鮹）
36 辛夷
37 塵垢
38 塵取
39 提（挑）灯
40 金蘭
41 征戎
42 斉家
43 ・濃艶
44 夜叉
45 掻（爬・抓）
46 槍（鑓）
47 走狗
48 啄

C ランク

故事・諺

目標時間 **25**分

合格ライン **39**点

得点 ／48

月 日

● 次の故事・成語・諺の**カタカナ**の部分を**漢字**で記せ。

1 敷居を**マタ**げば七人の敵あり。
2 **エイジ**の貝を以て巨海を測る。
3 **ロギョ**の誤り。
4 **ヒシヅル**ほど子ができる。
5 **シンエン**に臨んで薄氷を踏むが如し。
6 **ガベイ**に帰す。
7 尾を**トチュウ**に曳く。
8 **カンリ**を貴んで頭足を忘る。
9 **クラ**掛け馬の稽古。
10 一文銭で生爪**ハ**がす。

解答

1 跨
2 嬰児
3 魯魚
4 菱蔓
5 深淵
6 •画餅
7 塗中
8 冠履
9 鞍
10 •剥

11 **ジュウバ**を殺して狐狸を求む。
12 秋の日は**ツルベ**落とし。
13 片手で**キリ**は揉《も》めぬ。
14 **マト**まる家には金もたまる。
15 錆に腐らせんより**ト**で減らせ。
16 **ハッサク**は婿の泣き節供。
17 **ホラ**ヶ峠を決め込む。
18 **ニジュ**に冒される。
19 **コケ**の後思案。
20 猩猩《しょうじょう》は血を惜しむ、**サイ**は角を惜しむ、日本の武士は名を惜しむ。

解答

11 戎馬
12 釣瓶
13 錐
14 纏
15 砥
16 八朔
17 洞
18 二竪
19 虚仮
20 犀

21 ゴトベイの為に腰を折る。
22 ムカウの郷。
23 ワラ千本あっても柱にならぬ。
24 落花枝に帰らず、ハキョウ再び照らさず。
25 姉はスゲガサ妹は日傘。
26 大匠はセッコウの為に縄墨を改廃せず。
27 ガイダ珠を成す。
28 鳩に三枝の礼あり、烏にハンポの孝あり。
29 王侯ショウショウ寧んぞ種あらんや。
30 酒は天のビロク。
31 ヒゲも自慢のうち。
32 ジジョの交わり。
33 シセイにして動かざる者は、未だ之有らざるなり。
34 一片のヒョウシン玉壺に在り。

21 五斗米
22 無何有
23 藁
24 破鏡
25 菅笠
26 拙工
27 咳唾
28 反(返)哺
29 将相
30 美禄
31 卑下
32 爾汝
33 至誠
34 氷心

35 医者の薬もサジ加減。
36 百年カセイを俟《ま》つ。
37 人を犯す者はランボウの患いあり。
38 人はギョウシュンにあらず、何ぞ事々によく善を尽くさん。
39 直きを友とし諒を友としタモンを友とするは益なり。
40 難に臨んで遽《にわ》かに兵をイる。
41 ホシャ相依る。
42 児孫の為にビデンを買わず。
43 擢《かい》は三年、ロは三月。
44 水到りてキョ成る。
45 チョウアイ昂じて尼になす。
46 センベンを著ける。
47 陰徳あればヨウホウあり。
48 大河を手でセく。

35 匙
36 河清
37 乱亡
38 尭舜
39 多聞
40 鋳
41 輔車
42 美田
43 櫓
44 渠
45 寵愛
46 先鞭
47 陽報
48 堰(塞)

C 故事・諺

A ランク

文章題①

● 文章中の傍線（1〜10）の**カタカナ**を**漢字**に直し、波線（ア〜コ）の**漢字**の**読み**を**ひらがな**で記せ。

目標時間 **10**分

合格ライン **16**点

得 点 ／20

月 日

A 徳川の律書に、

足軽体に候共、軽き町人百姓の分として、法外の雑言等、不届の仕方にて、不得止《やむをえず》切殺し候者は、吟味の上、紛無之《まぎれこれなく》候わば無構事《かまいなきこと》とあり。この律に拠[ア]れば、百姓町人は常に幾千万人の敵に接するが如く、その無事なるは幸にして[1]**マヌ**かるるのみ。既に生命をも安んずること能わず、何ぞ他を顧《かえりみ》るに遑《いとま》あらん。廉恥功名の心は身を払て尽き果て、また文学技芸等に志すべき余地を遺さず、ただ上命に従て政府の費用を供するのみにて、身心共に束縛を蒙[イ]るものというべし。

然りといえども、人類の天性に於て、心の働《はたらき》は、何様の術を用るも、全くこれを圧窄禁錮《あっさくきんこ》すべきものにあらず、何れにか[2]**カンゲキ**を求めて、僅[ウ]かに漏洩[エ]の路あらざるはなし。今この百姓町人等の身分も、進退固より不自由なりといえども、私財を蓄積して産を営むの一事に於ては、その心の働を伸ばすべき路を開《ひらき》て、これを妨るもの少なし。ここに於てかやや気力ある者は、蓄財に心を尽して千辛万苦を憚《はばか》らず[3]**セッケン**勉強して、往々巨万の富を致す者なきにあらず。されども元《もと》とこの輩は、ただ富を欲して富を致したる者にて、他に志す所あるにあらず。富を求るは他の目的を達するための方便にあらずして、正にこれ、生涯無二の目的なるが如し。

故に、人間世界、富の外に貴ぶべきものなし、富を抛《なげうち》て易《か》うべきものなし。学術以上、人心の高尚なる部分に属する所の事件は、これを顧ざるのみならず、かえって奢侈《しゃし》の一箇条としてこれを禁じ、上流の人の挙動を見て、窃《ひそか》にその[オ]迂遠を愍笑《びんしょう》するに至れり。事勢に於てはまた[4]**イワ**れなきにあらざれども、その品行の鄙劣《ひれつ》にして敢為の気象なきは、真に賤《さげす》むに堪えたるものなり。

（福沢諭吉「文明論之概略」より）

B 十二月廿一日。風雨と共に寒気また甚しく書《しょ》窗黯澹《そうあんたん》たり。午後に至るも手足の冷るを覚えたれば、臥牀《がしょう》に横《よこた》りてプルーストの長篇小説を読む中、いつか華胥《かしょ》に遊べり。既にして鄰家《りんか》読経の声に夢寤《さむ》るや、空霽《は》れわたり、窗前《そうぜん》の[5]**キョウボク**に[カ]弦月懸りて、暮靄《ぼあい》[6]**ソウゼン**、[7]**ガケシタ**の街を[キ]蔽いたり。英泉が藍摺《あいずり》の板画を見るが如し。これ同じ山の手にても、大久保の如き平坦の地にありては見ること能わざる光景にして、予の麻布を愛する[ク]所以なり。そもそも今日のごとき寒雨の日、雛犬も屋外に出ることを好まざる時、終日独《ひとり》炉辺に閒坐し、心のままに好める書を読むことを得るは、人生無上の幸福にあらずや。これ畢竟家に[ケ]恒産あるがためと思えば、予は年と共にいよいよ先考の[コ]恩沢に感泣せざるを得ざるなり。昨宵楽天居句会に赴かんとする途次、品川停車場の雑遝《ざっとう》を見し時にも、予は日々かくの如き修羅の巷に奔馳する人に比して、つくづく無為閒散の身の幸なるを思いて止まざりき。古来の道徳文教[8]**トウゼン**として地を払いたる今日の如き時勢にありては、功業学術倶《とも》に皆[9]**フンド**の如し。人間もし晏然《あんぜん》として草木の腐朽するが如く一生を終ることを得ば、かえって幸なりというべきなり。夜初更を過ぎし頃、[10]**コツゼン**門扉を敲《たた》くものあり。

（永井荷風「断腸亭日乗」より）

解答

1 免
2 間・隙
3 節倹
4 謂
5 喬木

6 蒼然
7 崖・下
8 蕩然
9 糞土
10 忽然

ア よ
イ こうむ
ウ わず
エ ろうせつ・ろうえい
オ うえん

カ げんげつ
キ おお
ク ゆえん
ケ こうさん
コ おんたく・おんだく

A ランク

文章題②

● 文章中の傍線（1〜10）の**カタカナ**を**漢字**に直し、波線（ア〜コ）の**漢字**の**読み**を**ひらがな**で記せ。

目標時間 **10**分

合格ライン **16**点

得　点　／20
月　日

A

文鳥はつと嘴《くちばし》を[ア]餌壺の真中に落した。そうして二三度左右に振った。奇麗に平《なら》して入れてあった[1]**アワ**がはらはらと[2]**カゴ**の底に零れた。文鳥は嘴を上げた。咽喉《のど》の所で[イ]微かな音がする。又嘴をアワの真中に落す。又微かな音がする。その音が面白い。静かに聴いていると、丸くて細やかで、しかも非常に速《すみや》かである。菫《すみれ》程な小さい人が、黄金《こがね》の[3]**ツチ**で瑪《め》瑙《のう》の碁石でもつづけ様に敲《たた》いている様な気がする。

嘴の色を見ると紫を薄く混ぜた紅《べに》の様である。その紅が次第に流れて、アワをつつく口尖《くちさき》の辺は白い。[4]**ゾウゲ**を半透明にした白さである。この嘴がアワの中へ這入る時は非常に早い。左右に振り蒔くアワの珠も非常に軽そうだ。文鳥は身を逆さまにしないばかりに[ウ]尖った嘴を黄色い粒の中に刺し込んでは、膨くらんだ首を惜気もなく右左へ振る。カゴの底に飛び散るアワの数は幾粒だか分らない。それでも餌壺だけは[5]**セキゼン**として静かである。重いものである。餌壺の直径は一寸五分程だと思う。

自分はそっと書斎へ帰って淋しくペンを紙の上に走らしていた。縁側では文鳥がちちと鳴く。折々は千代々々とも鳴く。外では木枯が吹いていた。

夕方には文鳥が水を飲む所を見た。細い足を壺の縁へ懸けて、小《ちさ》い嘴に受けた一[エ]雫を大事そうに、仰向いて呑み下している。この分では一杯の水が十日位続くだろうと思って又書斎へ帰った晩には箱へしまって遣った。寝る時[6]**ガラス**戸から外を[オ]覗いたら、月が出て、霜が降っていた。文鳥は箱の中でことりともしなかった。

（夏目漱石「文鳥」より）

B

その村の東北に一つの峠[カ]があった。その旧道には樅《もみ》や山毛欅《ぶな》などが暗いほど鬱蒼[キ]と茂っていた。そうしてそれらの古い幹には[7]**フジ**だの、山葡萄[ク]だの、通草《あけび》だのの蔓草が実にややこしい方法で絡まりながら蔓延[ケ]していた。私が最初そんな蔓草に注意し出したのは、フジの花が思いがけない樅《もみ》の枝からぶらさがっているのにびっくりして、それからやっとその樅に[8]**カラ**みついているフジづるを認めてからであった。そう言えば、そんなようなフジづるの多いことったら！　それらのフジづるに絡みつかれている樅の木が前よりも大きくなったので、その執拗《しつよう》な蔓がすっかり木肌にめり込んで、いかにもそれを苦しそうに身もだえさせているのなどを見つめていると、私は不気味になって来てならない位だった。――[9]**ア**る朝、私は例の気まぐれから峠まで登った帰り途、その峠の上にある小さな部落の子供等二人と道づれになって降りて来たことがあった。その折のこと、その子供たちはいろいろな木に絡まっている、もっと他の山葡萄だの、通草だのをも私に教えてくれたのだった。子供たちは秋になるとそれ等の実を採りに来るので、それ等のある場所を[10]**ホト**ンど暗記していた。それからまた小鳥の巣のある場所を私に教えてくれたりした。彼等は峠で力餅[コ]などを売っている家の子供たちであった。

（堀辰雄「美しい村」より）

解答

1 栗	6 硝子	ア えつぼ	カ とうげ
2 籠	7 藤	イ かす	キ うっそう
3 槌	8 絡	ウ とが	ク ぶどう
4 象牙	9 或	エ ひとしずく	ケ まんえん
5 寂然	10 殆	オ のぞ	コ ちからもち

Bランク

文章題①

● 文章中の傍線（1～10）の**カタカナ**を**漢字**に直し、波線（ア～コ）の**漢字**の**読み**を**ひらがな**で記せ。

A 子供の時の莫蓙《ござ》遊びの記憶——殊[ア]にその触感が[1]**ヨミガエ**った。

やはり[2]**カエデ**の樹の下である。松葉が散って[3]**アリ**が匍《は》っている。地面にはでこぼこがある。そんな上へ莫蓙を敷いた。

「子供というものは確かにあの土地のでこぼこを冷い莫蓙の下に感じる蹠《あしうら》の感覚の快さを知っているものだ。そして莫蓙を敷くや否[イ]や直ぐその上へ跳び込んで、着物ぐるみじかに地面の上へ転がれる自由を楽しんだりする」そんなことを思いながら彼は直ぐにも頬ぺたをカエデの肌につけて冷して見たいような衝動を感じた。

「やはり疲れているのだな」彼は手足が軽く熱を持っているのを知った。

「私はお前にこんなものをやろうと思う。一つはゼリーだ。ちょっとした人の足音にさえいくつもの波紋が起り、風が吹いて来ると漣[ウ]をたてる。色は海の青色で——御覧そのなかをいくつも魚が泳いでいる。もう一つは窓掛けだ。織物ではあるが秋草が茂っている叢[エ]になっている。またそこには見えないが、色づきかけた銀杏[オ]の木がその上に生えている気持。風が来ると草がさわぐ。…（中略）…」（梶井基次郎「城のある町にて」より）

B 「いき」の第三の[4]**チョウヒョウ**は「[5]**アキラ**め」である。運命に対する知見に基づいて執着を離脱した無関心である。「いき」は[6]**アカ**抜がしていなくてはならぬ。あっさり、すっきり、瀟洒《しょうしゃ》たる心持でな

目標時間 10分

合格ライン 16点

得点 ／20

月 日

くてはならぬ。この解脱は何によって生じたのであろうか。異性間の通路として設けられている特殊な社会の存在は、恋の実現に関して幻滅の悩みを経験させる機会を与えやすい。「たまたま[カ]逢うに切れよとは、仏姿にあり[7]**ナガ**ら、お前は鬼か清心様」という歎きは十六夜《いざよい》ひとりの歎きではないであろう。魂を打込んだ真心が幾度か無惨に裏切られ、悩みに悩みを[キ]嘗めて鍛えられた心がいつわりやすい目的に目をくれなくなるのである。異性に対する[8]**ジュンボク**な信頼を失ってさっぱりとアキラむる心は決して無代価で生れたものではない。…(中略)…その裏面には「情《つれ》ないは唯うつり気な、どうでも男は悪性者《あくしょうもの》」という煩悩の体験と、「糸より細き縁じゃもの、つい切れ易く[9]**ホコロ**びて」という万法の運命とを蔵している。そうしてその上で「人の心は飛鳥川《あすかがわ》、変るは勤めのならいじゃもの」という懐疑的な[ク]帰趨と、「わしらがような勤めの身で、可愛《かわい》と思う人もなし、思うて呉れるお客もまた、広い世界にないものじゃわいな」という[10]**エンセイ**的な結論とを掲げているのである。「いき」を若い芸者に見るよりはむしろ年増の芸者に見出すことの多いのは恐らくこの理由によるものであろう。要するに「いき」は「浮かみもやらぬ、流れのうき身」という「苦界《くがい》」にその起原をもっている。そうして「いき」のうちの「アキラめ」したがって「無関心」は、世智辛い、つれない浮世の洗練を経てすっきりとアカ抜した心、現実に対する独断的な執着を離れた瀟洒として未練のない恬淡《てんたん》[ケ]無碍の心である。「野暮は揉《も》まれて粋となる」というのはこの[コ]謂にほかならない。

(九鬼周造「『いき』の構造」より)

解答

1 蘇(甦)
2 楓
3 蟻
4 徴表
5 ・諦

6 垢
7 乍
8 淳(純・醇)朴
9 ・綻
10 厭世

ア こと
イ いな
ウ さざなみ
エ くさむら
オ いちょう

カ あ
キ な
ク きすう
ケ むげ
コ いい

B ランク

文章題②

目標時間 **10**分

合格ライン **16**点

得点 ／20

月　日

● 文章中の傍線（1～10）の**カタカナ**を**漢字**に直し、波線（ア～コ）の**漢字**の**読み**を**ひらがな**で記せ。

A

関白師実《もろざね》の娘といったのは、仙洞に傅《かしず》いている養女で、実は妻の**メイ**[1]である。この**キサキ**[2]は久しい間病気でいられたのに、厨子王[ア]の守本尊を借りて拝むと、すぐに**ヌグ**[3]うように本復せられた。

師実は厨子王に還俗[イ]させて、自分で冠を加えた。同時に正氏が謫所《たくしょ》へ、赦免状を持たせて、安否を問いに使を遣った。しかしこの使が往った時、正氏はもう死んでいた。元服して正道《まさみち》と名告っている厨子王は、身の窶《やつ》れるほど歎[ウ]いた。

その年の秋の除目[エ]に正道は丹後の国守にせられた。これは遥授[オ]の官で、任国には自分で往かずに、掾《じょう》を置いて治めさせるのである。しかし国守は最初の政《まつりごと》として、丹後一国で人の売買《うりかい》を禁じた。そこで山椒大夫も**コトゴトク**[4]奴婢《ぬひ》を解放して、給料を払うことにした。大夫が家では一時それを大きい損失のように思ったが、この時から農作も工匠《たくみ》の業も前に増して盛になって、一族はいよいよ富み栄えた。国守の恩人曇猛律師《どんみょうりっし》は僧都《そうず》にせられ、国守の姉をいたわった小萩《こはぎ》は故郷へ還された。安寿が亡き迹《あと》は懇《ねんごろ》に弔われ、また**ジュスイ**[5]した沼の**ホトリ**[6]には尼寺が立つことになった。（森鷗外「山椒大夫」より）

B

北守将軍ソンバーユーは涙を垂れてお答えした。

「おことばまことに畏《かしこ》くて、何とお答えいたしていいか、とみに言葉も出でませぬ。とは云えいまや私は、生きた骨ともいうような、役に立たずでございます。砂漠の中に居ました間、どこから敵が見ているか、あなどられまいと考えて、いつでもりんと胸を張り、眼を見開いて居りましたのが、いま王様のお前に出て、おほめの詞[カ]をいただきますと、[7]**ニワ**かに眼さえ見えぬよう。背骨も曲ってしまいます。何卒[キ]これでお暇を願い、郷里に帰りとうございます。」

「それでは誰かおまえの代り、大将五人の名を挙げよ。」

そこでバーユー将軍は、大将四人の名をあげた。そして残りの一人の代り、リン兄弟の三人を国のお医者におねがいした。王は早速許されたので、その場でバーユー将軍は、鎧[ク]もぬげば兜[ケ]もぬいで、かさかさ薄い[8]**アサ**を着た。そしてじぶんの生れた村のス山《ざん》の[9]**フモト**へ帰って行って、粟をすこし[10]**マ**いたりした。それから粟の間引きもやった。けれどもそのうち将軍は、だんだんものを食わなくなってせっかくじぶんでマいたりした、粟も一口たべただけ、水をがぶがぶ呑[コ]んでいた。ところが秋の終りになると、水もさっぱり呑まなくなって、ときどき空を見上げては何かしゃっくりするようなきたいな形をたびたびした。

そのうちいつか将軍は、どこにも形が見えなくなった。そこでみんなは将軍さまは、もう仙人になったと云って、ス山の山のいただきへ小さなお堂をこしらえて、あの白馬は神馬に祭り、あかしや粟をささげたり、アサののぼりをたてたりした。

（宮沢賢治「北守将軍と三人兄弟の医者」より）

解答

1 姪
2 后（妃）
3 ・拭
4 悉
5 入水
6 畔（辺）
7 俄
8 麻
9 ・麓
10 播（蒔）

ア ずしおう
イ げんぞく
ウ なげ
エ じもく
オ ようじゅ
カ ことば
キ なにとぞ
ク よろい
ケ かぶと
コ の

C ランク

文章題①

● 文章中の傍線（1～10）の**カタカナ**を**漢字**に直し、波線（ア～コ）の**漢字**の**読み**を**ひらがな**で記せ。

目標時間 10分

合格ライン 16点

得 点 ／20 月 日

A 店は二間《けん》間口の二階作り、軒には御神燈さげて盛り塩景気よく、空壜《あきびん》か何か知らず、[ア]銘酒あまた棚の上にならべて帳場めきたる処もみゆ、勝手元には七輪を[イ]煽ぐ音折々に騒がしく、女主《あるじ》が手ずから寄せ鍋[1]**チャワン**むし位はなるも道理《ことわり》、表にかかげし看板を見れば子細らしく御料理とぞしたためける、さりとて仕出し頼みに行たらば何とかいうらん、俄に今日《こんにち》品切れもをかしかるべく、女ならぬお客様は手前店へお出かけを願いまするとも言うにかたからん、世は御方便や商売がらを心得て口取り[ウ]焼肴とあつらえに来る田舎ものもあらざりき、お力というはこの家《や》の一枚看板、年は随一若けれども客を呼ぶに妙ありて、さのみは愛想の嬉しがらせを言うようにもなく我まま[2]**シゴク**の身の振舞、少し容貌《きりょう》の自慢かと思えば[3]**コヅラ**が憎くいと[4]**カゲグチ**いう[エ]朋輩もありけれど、交際《つきあい》ては存の外やさしい処があって女ながらも離れともない心持がする、ああ心とて仕方のないもの面《おも》ざしが[オ]何処となく[5]**サ**えて見えるはあの子の本性が現われるのであろう、誰しも新開《しんかい》へ這入るほどの者で菊の井のお力を知らぬはあるまじ、菊の井のお力か、お力の菊の井か、さても近来まれの拾いもの、あの娘《こ》のお蔭で新開の光りが添わった、抱《かか》え主は神棚へささげて置いても宜《い》いとて軒並びの羨やみ種《ぐさ》になりぬ。

（樋口一葉「にごりえ」より）

B 丹青は画架に向って[6]**トマツ**せんでも五彩の絢《けん》爛《らん》は自から心眼に映る。只おのが住む世を、かく観じ得て、霊台方寸のカメラに澆季《ぎょうき》溷濁《こんだく》の俗界を清くうららかに収め得れば足る。この故に無声の詩人には一句なく、無色の画家には尺縑《せっけん》なきも、かく人世を観じ得るの点に於て、かく**[7]ボンノウ**を解脱するの点に於て、かく清浄界に出入し得るの点に於て、又この〔カ〕不同不二の〔キ〕乾坤を**[8]コンリュウ**し得るの点に於て、我利私慾の羈絆《きはん》を〔ク〕掃蕩するの点に於て、――千金の子よりも、万乗の君よりも、あらゆる俗界の〔ケ〕寵児よりも幸福である。

世に住むこと二十年にして、住むに**[9]カイ**ある世と知った。二十五年にして明暗は表裏の如く、日のあたる所には屹度《きっと》影がさすと悟った。三十の今日《こんにち》はこう思うている。――喜びの深きとき憂《うれい》〔コ〕愈深く、楽みの大いなる程苦しみも大きい。これを切り放そうとすると身が持てぬ。片付けようとすれば世が立たぬ。金は大事だ、大事なものが殖えれば寐《ね》る間も心配だろう。恋はうれしい、嬉しい恋が積もれば、恋をせぬ昔がかえって恋しかろ。閣僚の肩は数百万人の足を支えている。脊中《せなか》には重い天下がおぶさっている。うまい物も食わねば惜しい。少し食えば飽き足らぬ。存分食えばあとが不愉快だ。……

余《よ》の考《かんがえ》がここまで漂流して来た時に、余の右足《うそく》は突然**[10]スワ**りのわるい角石の端を踏み損《そ》くなった。平衡を保つ為めに、すわやと前に飛び出した左足《さそく》が、仕損じの埋め合せをすると共に、余の腰は具合よく方《ほう》三尺程な岩の上に卸《お》りた。肩にかけた絵の具箱が腋の下から躍り出しただけで、幸いと何の事もなかった。

（夏目漱石「草枕」より）

解答

1 茶椀(碗)	6 塗抹	ア めいしゅ	カ ふじ
2 至極	7 煩悩	イ あお	キ けんこん
3 小面	8 建立	ウ やきざかな	ク そうとう
4 蔭(陰)口	9 甲斐	エ ほうはい・ほうばい	ケ ちょうじ
5 冴	10 坐(座・据)	オ どこ・いずこ	コ いよいよ

C ランク

文章題②

目標時間 **10**分

合格ライン **16**点

得点 ／20　月　日

● 文章中の傍線（1～10）の**カタカナ**を**漢字**に直し、波線（ア～コ）の**漢字**の**読み**を**ひらがな**で記せ。

A　杜子春はたった一人、岩の上にア坐ったまま、静に星を眺めていました。するとかれこれ半時《はんとき》ばかり経って、深山の夜気が肌寒く薄い着物に透り出した頃、突然空中に声があって、

「そこにいるのは何者だ」と、イ叱りつけるではありませんか。

しかし杜子春は仙人の教《おしえ》通り、何とも返事をしずにいました。

ところが又暫くすると、やはり同じ声が響いて、

「返事をしないと立ちどころに、命はないものと覚悟しろ」と、いかめしくウ嚇しつけるのです。

杜子春は1**モチロン**黙っていました。

と、どこから登って来たか、爛々《らんらん》と眼を光らせた2**トラ**が一匹、エ忽然と岩の上に躍り上って、杜子春の姿を睨みながら、一声高く哮《たけ》りました。のみならずそれと同時に、頭の上の松の枝が、烈しくざわざわ揺れたと思うと、後《うしろ》の絶壁の頂からは、四斗3**ダル**程の白蛇が一匹、炎のような舌を吐いて、見る見る近くへ下りて来るのです。

杜子春はしかし平然と、4**マユゲ**も動かさずに坐っていました。

トラと蛇とは、一つ5**エジキ**を6**ネラ**って、互に7**スキ**でもオ窺うのか、暫くは睨合いのカ体でしたが、やがてどちらが先ともなく、一時に杜子春に飛びかかりました。

（芥川龍之介「杜子春」より）

B　これによって我々は、様式の上からは全然区別することのできない、そうして実際上には印象を

異にする唐の彫像とキ白鳳天平の彫像との間の、真実の差違を理解し得ようかと思う。

白鳳天平の仏ク菩薩像をかく特性づけることによって、我々はまた時代による仏菩薩像の8**ヘンセン**をもよりよく理解し得る。推古彫刻と白鳳天平彫刻との相違は様式の差違から見てもすでに明白であるが、しかし後者がケ嬰児の美を生かせたに反して前者が清らかな少女の美を観音にまで高めたことを思うとき、これらの彫刻の持つ内容がいかに根本的に相違するかは一層明白となる。また9**ミッキョウ**美術が輸入されるとともに新しく起こった様式も、あらゆる肉感的なものにおいてさえ法の姿をながめるミッキョウの思想が、成熟せる蠱惑的《こわくてき》な女体をその蠱惑的なままに観音に高めるというごとき（たとえば観心寺の如意輪観音）あの著しい傾向を生んだことの理解によって、一層明らかに特性づけられるであろう。藤原時代に至っては、このミッキョウの傾向が柔らかく感動的に変質され、恋の眼に映ずる男女の美しさが仏や菩薩に高められた（鳳凰堂本尊、中尊寺一字金輪《いちじきんりん》）。かくて芸術家が、その生かすべき美の10**レイカン**に動いていた間は、おのおのの時代に特殊な美しさを持った仏菩薩の像が作られたのである。様式のヘンセンは全極東的な推移において理解せられるとともに、またこの芸術家の心におけるヘンセンをコ顧慮することによっても理解せられなくてはならぬ。

（和辻哲郎「日本精神史研究」より）

解答

1 勿論
2 ・虎
3 樽
4 ・眉毛
5 ・餌食

6 ・狙
7 ・隙
8 変遷
9 密教
10 霊感

ア すわ
イ しか
ウ おど
エ こつぜん
オ うかが

カ てい
キ はくほう
ク ぼさつ
ケ えいじ
コ こりょ

C ランク

文章題③

●文章中の傍線（1〜10）の**カタカナ**を**漢字**に直し、波線（ア〜コ）の**漢字**の**読み**を**ひらがな**で記せ。

A

となりは若い大工の夫婦で、[1]**シカ**し本業は暇らしく、副業の養鶏の方を熱心にやっていた。庭に境がなく、鶏は始終私の方にも来ていた。鶏の生活を叮嚀《ていねい》に見ていると却々《なかなか》興味があった。母鶏の[ア]如何にも母親らしい様子、[イ]雛鶏の子供らしい無邪気の様子、雄鶏の家長らしい、威厳を持った態度、それらが、何れもそれらしく、しっくりとその所に嵌《はま》って、一つの生活を形作っているのが、見ていて愉快だった。

城の森から飛びたつ[ウ]鳶の低く上を舞うような時に、雌鶏、雛どり等の驚きあわてて、木のかげ、草の中に隠れる時、独り傲然《ごうぜん》とそれに対抗し、亢奮《こうふん》しながらその辺を[2]**オオマタ**に歩き廻っているのは雄鶏だった。

小さい雛達が母鶏のする通りに足で地を[3]**カ**き、一ト足下って餌を拾う様子とか、母鶏が砂を浴び出すと、[エ]揃ってその周りで砂を浴び出す様子なども面白かった。殊に色の[オ]冴えた小さい鳥冠《とさか》と鮮かな黄色い足とを持った百日雛の[4]**オクビョウ**で、あわて者で、[カ]敏捷で如何にも生き生きしているのを見るのは興味があった。それは人間の元気な小娘を見るのと少しもかわりがなかった。美しいより寧《むし》ろ[5]**ツヤ**っぽく感ぜられた。

（志賀直哉「濠端の住まい」より）

B

人は芸術が魔法だというかもしれぬが、僕には少し異論がある。対座したのでは猥褻《わいせつ》見るに堪えがたくて擲《なぐ》りたくなるような若者が、サーカスのブランコの上へあがると[キ]神々しいまでに必死の気魄で人を打ち、全然別人の[ク]奇蹟を行なってしまう。これ

目標時間 10分

合格ライン 16点

得点 ／20

月　日

は魔法的な現実であり奇蹟であるが、しかもこの奇蹟は我々の現実や生活が常にこの奇蹟と共にあるきわめて普通の自然であって、決して超現実的なものではない。レビューの舞台で柔弱低脳の男を見せつけられては降参するが、モリカワシンの堂々たる男の6**カンロク**とそれをとりまいて頼りきった女たちの遊楽の舞台を見ると、女たちの踊りがどんなに下手でもまた不美人でもいっこうにさしつかえぬ。甘美な遊楽が我々をケ愉しくさせてくれるのである。これも一つの奇蹟だけれども、常に現実と直接不離の場所にある奇蹟で、芸術の奇蹟ではなく、現実の奇蹟であり、肉体の奇蹟なのである。酒もまた、僕にはひとつの奇蹟である。

　僕は7**ゴ**が好きだけれども、金銭を8**カ**けることは全く好まぬ。むしろ、かかる人々を憎み賤《さげす》むのである。だいたい、カけ事というものは運を天にまかして一か八かというところに最後の意味があるのである。サイコロとルーレットのようなものが、ほんとうのカけ事なのだ。ゴのような理智的なものは、勝敗それ自身が興味であって、金銭をカけるべき性質のものではない。運を天にまかして一か八かという9**コクウ**から金がころがりこむなら大いに10**ウレ**しくもなろうけれども、長時間にわたって理智を傾けつくすゴのようなもので金銭をカけたのでは、いちばん見たくない人間の悪相をさらけだして汚らしくいどみ合うようなもので、とてもコ厭らしくて勝負などはできぬし、勝つ気にもなれぬ。ああいう理智的なもので金銭をカける連中は品性最も下劣な悪党だと僕は断定している。

（坂口安吾「青春論」より）

解答

1 然	6 貫禄	ア いか	カ びんしょう
2 大股	7 碁	イ ひなどり	キ こうごう
3 掻	8 賭	ウ とび・とんび	ク きせき
4 臆病	9 虚空	エ そろ	ケ たの
5 艶	10 嬉	オ さ	コ いや

COLUMN

平成24年６月からの審査基準で

準１級の出題範囲に追加された字種と音訓

平成22年11月に告示された常用漢字表の改定では、昭和56年告示の常用漢字表から、「勺・錘・銑・脹・匁」の5字種と、「畝（訓：せ）・疲（訓：つからす）・浦（音：ホ）」3字の一部の音訓が削除されました。

それに伴い、平成24年度から審査基準が新しくなり、JIS第一水準である「勺・錘・銑・脹・匁」の5字種は、準1級の配当漢字になりました。また、削除となった音訓のうち、「畝（せ）」「浦（ホ）」は準１級対象の表外読みとなりました。

さらに、改定で新しく常用漢字となった196字（従来の１級配当漢字28字と、準１級配当漢字168字）は２級の配当漢字となりましたが、もともと１級対象漢字だった28字は、準１級においても出題範囲となりました。

●準1級の配当漢字になった5字種

勺	（旧：2・準2級）
錘	（旧：2・準2級）
銑	（旧：2・準2級）
脹	（旧：3級）
匁	（旧：2・準2級）

●表外読みになったもの

畝（2・準2級）	訓：せ
浦（2・準2級）	音：ホ

付録
とっさに役立つ
準1級用資料

※P.154～177で左側に●の付いた漢字は、平成24年度からの審査基準の改定で新たに常用漢字となった字種です。準１級配当漢字からは外れましたが、平成24年６月以降の新試験でも出題されています。なお、表外読みであってもマークを付けています。

四字熟語

準1級の出題範囲である四字熟語を50音順に掲載しました。複数の表記がある場合は代表的な漢字を載せています。類は類義語、対は対義語のことです。

あ

相碁井目（あいごせいもく）
人の実力はさまざまで、何をする場合にも力量の差はあるものだということ。

阿鼻叫喚（あびきょうかん）
非常にむごたらしいさま。仏教用語に由来し、阿鼻地獄に落ちて悲痛な叫び声をあげること。

阿附迎合（あふげいごう）
へつらい、おもねること。類阿諛追従（あゆついしょう）

暗中模索（あんちゅうもさく）
手掛かりのないまま、夢中でいろいろなことを試みること。

意気軒昂（いきけんこう）
意気込みが盛んで、奮い立つさま。元気のあるさま。類意気衝天／対意気銷沈

一目瞭然（いちもくりょうぜん）
ひと目見ただけではっきりわかること。または、そのさま。

一蓮托生（いちれんたくしょう）
行動や運命をともにすること。浄土信仰から生まれた考えで、死後、極楽で同じ蓮華の上に生まれ変わること。

一虚一盈（いっきょいちえい）
常に変化して、予測がつきにくいこと。類一虚一実

一顧傾城（いっこけいせい）
絶世の美人のたとえ。国を滅ぼすほどの美女のこと。類一顧傾国

一世木鐸（いっせいぼくたく）
世の人々を教え導く者のこと。

一張一弛（いっちょういっし）
時に優しく、時に厳しく対すること。類緩急自在

一碧万頃（いっぺきばんけい）
海や湖などが青一色に広がっている様子。

因循姑息（いんじゅんこそく）
古い習慣や方法にこだわって、その場しのぎに終始するさま。また、決断力に欠け、ためらっている様子。類因循苟且（いんじゅんこうしょ）

有象無象（うぞうむぞう）
世の中にある、形があるものないもののすべて。転じて、取るに足りない種々雑多な人々や物。

内股膏薬（うちまたこうやく）
定見や節操がなく、その時の都合で意見を変えること。また、そのような人物。類二股膏薬

雲集霧散（うんしゅうむさん）
たくさんのものが集まったかと思うと、たちまち霧のように散ってしまうこと。類離合集散

運否天賦（うんぷてんぷ）
人の運や不運は天からの授かりものであるという意から、運を天に任せること。

永劫回帰（えいごうかいき）
宇宙は永遠に円環運動を繰り返すものであるから、今の一瞬一瞬を充実させることが重要であるとする思想。ドイツの哲学者ニーチェの根本思想の訳語。類永遠回帰

栄耀栄華（えいようえいが）
富や権勢を背景に、ぜいたくの限りを尽くすこと。また、おごりたかぶること。

鳶飛魚躍（えんぴぎょやく）
万物が自然の本性に従って、自由気ままに楽しんでいることのたとえ。

温柔敦厚（おんじゅうとんこう）
優しく穏やかで、真心がこもっていること。類温良篤厚（おんりょうとっこう）

か

鎧袖一触（がいしゅういっしょく）
鎧の袖がわずかに触れただけで敵を倒すように、簡単に相手を打ち負かしてしまうこと。

街談巷説（がいだんこうせつ）
街の中でささやかれる、いい加減でとるにたりないうわさ話のこと。

鶴髪童顔（かくはつどうがん）
老人の元気で若々しいことのたとえ。「鶴髪」はツルのように白い髪の毛のこと。「童顔鶴髪」ともいう。

画虎類狗（がこるいく）
才能のない者が、人のまねをしてもうまくいかないということ。類画虎成狗

河山帯礪（かざんたいれい）
永く変わらない堅い誓約のこと。国が永遠に栄えること。類礪山帯河

加持祈禱（かじきとう）
病気や災難などから身を守るために神仏に祈ること。

臥薪嘗胆（がしんしょうたん）
目的を達成するために機会を待ち、苦難に耐えること。

嘉辰令月（かしんれいげつ）
「辰」は日のこと。よい日とよい月の意から、めでたい月日のこと。

確乎不抜（かっこふばつ）
意志がしっかりと定まっていて、動じないさま。

活剝生呑（かっぱくせいどん）
他人の文章や詩などをそのまま盗用すること。また、頑固で融通がきかないこと。「生呑活剝」ともいう。

臥竜鳳雛（がりょうほうすう）
才能を持っているのに機会に恵まれないため、実力を発揮できない者のこと。「がりゅうほうすう」とも読む。類伏竜鳳雛

閑雲野鶴（かんうんやかく）
世の中のしがらみから自由になって、のんびりと暮らすこと。悠悠自適の生活のたとえ。

玩物喪志（がんぶつそうし）
無用のものに熱中して、本業を忘れること。

冠履顚倒（かんりてんとう）
冠を足にはき、くつを頭にかぶる意より、上下の秩序や地位が逆になること。類冠履倒易

規矩準縄（きくじゅんじょう）
「規」はコンパス、「矩」は定規、「準」は水準器、「縄」は墨縄のことで、いずれも測定用の工具。転じて、物事の標準・手本の意。

気息奄奄（きそくえんえん）
息も絶え絶えで、今にも死にそうなさま。「奄奄」は息が絶え絶えで、虫の息の状態であるという意。

吉日良辰（きちじつりょうしん）
縁起のよい日。めでたい日。類大安吉日

鳩首凝議（きゅうしゅぎょうぎ）
「鳩」は集めるの意。一所に集まって、額を寄せあって相談すること。

九鼎大呂（きゅうていたいりょ）
貴重なもの、重要な地位や名声などのたとえ。「九鼎」は天子の象徴とされる銅の鼎、「大呂」は中国の周王朝の太廟に供えた大きな鐘のこと。

旧套墨守（きゅうとうぼくしゅ）
古いしきたりや方法を守り続けること。また、古いやり方にとらわれて融通のきかないこと。類旧習墨守

行住坐臥（ぎょうじゅうざが）
日常の立ち居振る舞いのこと。ふだん。つねづね。類常住坐臥

尭風舜雨（ぎょうふうしゅんう）
尭帝や舜帝の恵みが天下に行き渡っていることを風や雨にたとえていう語。転じて、天下泰平の世であるという意。

曲学阿世（きょくがくあせい）
真理を曲げて、世間や時勢におもねった言動をすること。「阿世曲学」ともいう。

玉砕瓦全（ぎょくさいがぜん）
名誉や正義などを重んじて潔く死ぬことと、何もなすことなくいたずらに生きながらえること。

旭日昇天（きょくじつしょうてん）
朝日が勢いよく天空に昇るように、勢いがきわめて盛んなこと。類旭日東天／破竹之勢

虚心坦懐（きょしんたんかい）
心に先入観やわだかまりがなく、気持ちがさっぱりしていること。類明鏡止水／光風霽月（こうふうせいげつ）／対疑心暗鬼

挙措進退（きょそしんたい）
日常の立ち居振る舞いや身の処し方のこと。「挙措」「進退」ともに、立ち居振る舞い・動作の意。

魚網鴻離（ぎょもうこうり）
魚を捕らえようと思ったのに大きな鳥がかかる意から、求めるものと実際に手に入れたものとが異なることのたとえ。

魚目燕石（ぎょもくえんせき）
外観こそ似ているものの、内実は本物とはまったく異なる偽物であること。偽物が本物の価値を損なうたとえ。類魚目混珠

金烏玉兎（きんうぎょくと）
太陽には三本足の烏が、月には兎がすむという伝説より、日（太陽）と月のこと。日月。

欣喜雀躍（きんきじゃくやく）
雀が飛び跳ねるように、小躍りして喜ぶこと。有頂天になること。類歓喜雀躍／狂喜乱舞

勤倹力行（きんけんりっこう）
一生懸命働き、つつましやかに暮らし、精一杯努力すること。

琴瑟相和（きんしつそうわ）
「瑟」は大形の琴のこと。琴と瑟は合奏すると音がよく調和することより、夫婦の仲がむつまじいことのたとえ。類関関雎鳩

錦心繡口（きんしんしゅうこう）
錦のように美しい心と刺繡のように美しい言葉の意より、詩や文章の才能に優れていることのたとえ。

君子豹変（くんしひょうへん）
君子は過ちに気づくと、すぐに自らの態度を改めるということ。また、節操なく考えや態度をころころ変えるということ。

荊妻豚児（けいさいとんじ）
愚妻と愚息。自分の妻と息子のことを謙遜して言うときに用いる語。

卿相雲客（けいしょううんかく）
宮中に仕える身分の高い人のこと。公卿と殿上人。類月卿雲客

経世済民（けいせいさいみん）
世の中を治め、民を苦しみから救うこと。「経済」は、これを略した語。類経国済民

桂殿蘭宮（けいでんらんきゅう）
非常に美しい宮殿のたとえ。類金殿玉楼

繋風捕影（けいふうほえい）
風をつなぎとめ、影を捕らえること。どちらも不可能なことから、雲をつかむようでとりとめがないことのたとえ。

鶏鳴狗盗（けいめいくとう）
つまらないことしかできない人のこと。また、そのような人でも何かの役には立つということ。

犬牙相制（けんがそうせい）
犬の牙のように国境が入り組んでいて、相互に牽制しあっているさま。

牽強附会（けんきょうふかい）
道理に合わなくても、自分の都合のよいように無理にこじつけること。「附会」は「付会」とも書く。

捲土重来（けんどちょうらい）
一度失敗した者が、疾風が土を巻きあげるような勢いで、再び盛り返してくること。「けんどじゅうらい」とも読む。

堅牢堅固（けんろうけんご）
守りが堅く、たやすく破られたり動じたりしないこと。また、堅くて丈夫なこと。類堅固不抜

膏火自煎（こうかじせん）
才能に恵まれていることが、かえって災いを招くことのたとえ。

剛毅果断（ごうきかだん）
意志が強くて気力に富み、思い切りがよいこと。対優柔不断

光彩陸離（こうさいりくり）
光が入り乱れて、美しく輝く様子。「光彩」は美しい光のこと、「陸離」はきらきらと光り輝くさま。

鉤縄規矩（こうじょうきく）
「鉤」「縄」「規」「矩」は、それぞれ曲線、直線、円、方形を描くための道具。転じて、物事の基準や法則となるもののこと。

黄塵万丈（こうじんばんじょう）
黄色い土煙が空高く舞い上がること。また、戦場で砂ぼこりが高く舞い上がるさま。

宏大無辺（こうだいむへん）
とてつもなく広くて大きいこと。「宏大」は「広大」「洪大」とも書く。

孝悌忠信（こうていちゅうしん）
真心を尽くして偽りがなく、父母や目上の人によく仕えること。

荒唐無稽（こうとうむけい）
言葉や説明にはっきりとした根拠がなく、ばかげていること。でたらめであること。

紅毛碧眼（こうもうへきがん）
赤い髪の毛と青い眼。すなわち、西洋人のこと。「碧眼紅毛」ともいう。

甲論乙駁（こうろんおつばく）
いろいろな意見が出て、議論がまとまらないこと。類議論百出／対満場一致

狐死首丘（こししゅきゅう）
狐は死ぬとき、自分が生まれ育った丘の方に頭を向けるという意から、故郷を忘れないことのたとえ。類越鳥南枝（えっちょうなんし）／胡馬北風（こばほくふう）

古色蒼然（こしょくそうぜん）
見るからに古びた趣をたたえている様子。古めかしいさま。

克己復礼（こっきふくれい）
自分の欲望を抑制し、社会の規範に従って行動すること。「仁」について、孔子が弟子の顔回に答えた言葉。

胡馬北風（こばほくふう）
胡の馬は他国にあっても、北風が吹くと故郷を慕っていななくという意から、故郷が忘れがたいことのたとえ。類狐死首丘

鼓腹撃壌（こふくげきじょう）
善政がしかれ、人々が安楽で平和な生活を喜び楽しむこと。太平の世のたとえ。類含哺鼓腹（がんぽこふく）

狐狸妖怪（こりようかい）
人間をだましたり、怖がらせたりする悪賢い生き物や化け物のこと。また、陰でひそかに悪事を働く者のたとえ。

欣求浄土（ごんぐじょうど）
死後、極楽浄土に行けるように、心から願い求めること。対厭離穢土（おんりえど）

金剛不壊（こんごうふえ）
非常に堅固で、こわれないこと。志をかたく守って変えないことのたとえ。「不壊金剛」ともいう。

さ

採薪汲水（さいしんきゅうすい）
薪を採り、谷川の水を汲むという意から、自然の中で質素に暮らすこと。類一竿風月（いっかんのふうげつ）

三者鼎談（さんしゃていだん）
三者が向かい合って話し合うこと。「鼎」は、古くは炊事用であったが、のちに祭器として使用されるようになった三脚両耳付きの青銅器のこと。

蚕食鯨呑（さんしょくげいどん）
蚕が桑の葉を食べ、鯨が小魚をのみこむように、強いものが弱いものを侵略・併合していくこと。

斬新奇抜（ざんしんきばつ）
物事の着想が独特であるうえに、これまでに類がないほど新しいさま。類奇想天外

自家撞着（じかどうちゃく）
同じ人の言動や文章が、前後で食い違っていること。類自己矛盾

紫幹翠葉（しかんすいよう）
山の色が美しいことのたとえ。山の木々のみずみずしく美しいさま。

只管打坐（しかんたざ）
余念を交えることなく、ただひたすらに坐禅をすること。

獅子奮迅（ししふんじん）
物事に対処する際の勢いや意気込みが、すさまじく強いことのたとえ。

自然淘汰（しぜんとうた）
生存するための条件や環境に適合したものだけが、自然に選択されて生き残ること。類適者生存／優勝劣敗

七堂伽藍（しちどうがらん）
寺院の備えるべき七つの堂塔がそろっている寺のこと。「七堂」にあたる七つの主要な建物は宗派によって異なる。

疾風怒濤（しっぷうどとう）
強くて激しい風と逆巻く荒波の様子。時代や社会がめまぐるしく変化することのたとえ。類狂瀾怒濤

紫電一閃（しでんいっせん）
きわめて短い時間。また、事態が急激に変化するときの形容。「紫電」は鋭い光のこと。類光芒一閃（こうぼういっせん）

四面楚歌（しめんそか）
周囲をすべて敵に囲まれて、援護してくれるものもなく孤立していること。

杓子定規（しゃくしじょうぎ）
すべてを一つの基準に従って処理しようとして、応用や融通がきかないこと。対融通無礙／臨機応変

寂滅為楽（じゃくめついらく）
煩悩から脱却し、悟りの境地に入って初めて、真の安楽が得られるということ。

周章狼狽（しゅうしょうろうばい）
「周章」も「狼狽」も思いがけないことに遭遇して、うろたえ騒ぐこと。類右往左往／対泰然自若

秋風落莫（しゅうふうらくばく）
秋風が吹いて、自然界がものさびしい光景に変化すること。勢いが衰えて、ものさびしくなるさま。類秋風索莫

熟読玩味（じゅくどくがんみ）
詩文や物事の意味などをよく考え味わうこと。文章を丁寧に読み、意味や内容をじっくり味わうこと。

首鼠両端（しゅそりょうたん）
形勢をうかがい、どっちつかずの曖昧な態度をとること。日和見。類狐疑逡巡（こぎしゅんじゅん）

春蛙秋蟬（しゅんあしゅうぜん）
春の蛙と秋の蟬はどちらもやかましく鳴き騒ぐことより、うるさいだけで何の役にも立たない無用な言論のこと。

純情可憐（じゅんじょうかれん）
純粋で邪念がなく、清らかでかわいらしいさま。類純真無垢（じゅんしんむく）

純真無垢（じゅんしんむく）
純粋でけがれのない、清らかな心を持っていること。類純情可憐

醇風美俗（じゅんぷうびぞく）
厚くて素直な人情と、好ましい風俗や習慣。類良風美俗

城狐社鼠（じょうこしゃそ）
権威や権力者のかげに隠れて悪事を働く者のこと。

情緒纏綿（じょうしょてんめん）
情愛が深く細やかで離れにくいさま。「じょうちょてんめん」とも読む。

笑面夜叉（しょうめんやしゃ）
顔は笑っていても、心の底には悪意や害意を潜ませていること。類笑裏蔵刀

芝蘭玉樹（しらんぎょくじゅ）
「芝蘭」は香草、「玉樹」は仙木。転じて、才能に恵まれた他人の子弟をほめていう語。また、一族から優れた人材が輩出することのたとえ。

参差錯落（しんしさくらく）
ふぞろいなものが入り混じっていて、一様でないこと。

身体髪膚（しんたいはっぷ）
人間のからだ全体のこと。「髪膚」は、髪の毛と皮膚の意。

水天一碧（すいてんいっぺき）
水の青と空の青とが一つに溶け合って、境目がわからなくなっているさま。類水天髣髴（すいてんほうふつ）

趨炎附熱（すうえんふねつ）
権勢の盛んな人に近づいて、こびへつらうこと。

杜撰脱漏（ずさんだつろう）
物事のやり方がずさんで、間違いや手抜かりが多いこと。

西戎東夷（せいじゅうとうい）
西方と東方の異民族。漢民族が周辺の異民族を卑しんで使用した語で、「戎」は西方の、「夷」は東方の異民族の称。

凄凄切切（せいせいせつせつ）
極めて物寂しいさま。ものさびしいさまを意味する「凄切」の二字をそれぞれ重ねて、意味を強調した四字句。

清濁併呑（せいだくへいどん）
善も悪も、分け隔てすることなく受け入れること。また、度量が大きくて、心が広いこと。

碩学大儒（せきがくたいじゅ）
学問の奥義を究めた大学者のこと。「碩学」は学問を広く深く修めた人、「大儒」は優れた儒者の意。

碩師名人（せきしめいじん）
大学者や名声の高い人。偉大な徳を有する人や名望のある人。

赤手空拳（せきしゅくうけん）
手に何の武器も持たずに立ち向かうこと。物事を他人の助けを借りずに自分の力だけで行うこと。類徒手空拳

積善余慶（せきぜんのよけい）
善行を積んだ家には、その報いとして必ず幸運が訪れるものであるということ。対積悪余殃（せきあくのよおう）

尺短寸長（せきたんすんちょう）
人や物にはそれぞれ長所と短所があり、その長所や短所の用い方によって、評価が変わるということ。類一長一短

舌端月旦（ぜったんげったん）
口先で人を批評すること。「舌端」は口先、「月旦」は人物批評をするという意味。

前虎後狼（ぜんここうろう）
つぎつぎと災難や危害に襲われるたとえ。ことわざの「一難去ってまた一難」とほぼ同義。

前途遼遠（ぜんとりょうえん）
目的地までの道のりや、目標達成までの今後の行程が、非常に遠くて長いこと。類前途多難

全豹一斑（ぜんぴょういっぱん）
物事の一部分だけを見て、全体を推測したり批評したりすること。見識が狭いことのたとえ。類管中窺豹（かんちゅうきひょう）

千篇一律（せんぺんいちりつ）
どれもこれも代わり映えがなく、面白みに欠けること。類一本調子／対千変万化

甑塵釜魚（そうじんふぎょ）
非常に貧しいことのたとえ。長い間、炊事をしていないので、甑には塵がたまり、釜には魚がわいているということ。

象箸玉杯（ぞうちょぎょくはい）
ぜいたくな生活をすること。「象箸」は象牙（ぞうげ）で作った箸、「玉杯」は玉で作った杯の意。

草茅危言（そうぼうきげん）
国政に対して浴びせられる、民間人の批判の声のこと。「草茅」は民間・在野の意で、「危言」は厳しい言葉。

粗酒粗餐（そしゅそさん）
粗末な酒と粗末な食事のこと。他人に酒食をふるまうときの謙称として用いられる語。

啐啄同時（そったくどうじ）
熟した機をとらえて、すかさず悟りに導くこと。禅宗の用語で、導く師家と修行者の呼吸がぴったり合うこと。

た

堆金積玉（たいきんせききょく）
金銀や珠玉を積み上げるという意から、莫大な富を集めること。
類 積金累玉

泰山鴻毛（たいざんこうもう）
極めて重いものと、極めて軽いもの。隔たりが甚だしいことのたとえ。

多岐亡羊（たきぼうよう）
方針、やり方がいろいろあって、選択に迷うこと。類 岐路亡羊

断崖絶壁（だんがいぜっぺき）
険しく切り立った崖のこと。また、切羽詰まって危険な状況にあること。

断簡零墨（だんかんれいぼく）
断片だけが残っている文書や書簡のこと。ちょっとした書き物のこと。

箪食瓢飲（たんしひょういん）
清貧な生活を送ること。粗末な食事のたとえ。類 一汁一菜

竹頭木屑（ちくとうぼくせつ）
「竹頭」は竹の切れはしのこと。役に立たないもののたとえ。転じて、小さなつまらないものでも何かの役に立つことがあるということ。

朝盈夕虚（ちょうえいせきょ）
朝には栄え、夕べには滅びるという意から、人生のはかないことのたとえ。類 諸行無常

張三李四（ちょうさんりし）
身分も名もない、ごくありふれた平凡な人のこと。類 張三呂四（りょし）／張甲李乙（りいつ）

長身痩軀（ちょうしんそうく）
背丈が高く、体つきが痩せていること。

朝秦暮楚（ちょうしんぼそ）
住所が定まらず、ふらふらとあちこちを放浪すること。また、主義や主張が節操なく変わることのたとえ。

長汀曲浦（ちょうていきょくほ）
長く続く波打ち際と湾曲した入り江のこと。海岸線がはるかかなたまで続いているさま。

長鞭馬腹（ちょうべんばふく）
いかに勢力が強大であっても、力の及ばないところがあるということ。また、長すぎたり、大きすぎて役に立たないこと。

朝蠅暮蚊（ちょうようぼぶん）
益のない小人物がはびこること。「蠅」と「蚊」は、どちらも小人物のたとえ。

猪突猛進（ちょとつもうしん）
目標に向かって、まっしぐらに突き進むこと。

治乱興亡（ちらんこうぼう）
世の中が治まって栄えることと、乱れて衰えること。類 治乱興廃

沈魚落雁（ちんぎょらくがん）
魚や雁も恥じらって、身を隠すほどの美人であるということ。類 閉月羞花（へいげつしゅうか）

通暁暢達（つうぎょうちょうたつ）
ある物事や分野に深く通じていて、文章や言葉などがのびのび

し意味がわかりやすいこと。

剃髪落飾（ていはつらくしょく）
髪を剃り俗世を捨てて、仏門に入ること。

甜言蜜語（てんげんみつご）
蜜のように甘く、聞いて快く感じる言葉。類甘言蜜語

天香桂花（てんこうけいか）
月の中にあるとされる桂の花。

天壌無窮（てんじょうむきゅう）
天地とともに永遠に続くこと。類天長地久

天神地祇（てんしんちぎ）
天つ神と国つ神。すべての神々。類天地神明

点滴穿石（てんてきせんせき）
力が足りなくても、こつこつと努力を続ければ、大きな成果を得ることができるということ。

天網恢恢（てんもうかいかい）
天は厳正であり、悪事を行った者は早晩罰を受けることになるということ。

天佑神助（てんゆうしんじょ）
天の助けと神の加護。予期せぬ偶然に恵まれて助かること。

東窺西望（とうきせいぼう）
ちらちらとあちこちを見ること。落ち着きのないさま。

陶犬瓦鶏（とうけんがけい）
焼きものの犬と素焼きの鶏。外見ばかりで、役には立たないもののたとえ。

道聴塗説（どうちょうとせつ）
学問や知識などの解釈がいい加減で、自分のものになっていないこと。受け売りの学問・知識であるということ。

堂塔伽藍（どうとうがらん）
堂や塔と「伽藍」は僧侶が修行する清浄な場所。寺院の建物の総称。類七堂伽藍

投桃報李（とうとうほうり）
桃が贈られてきたら、その返礼に李(すもも)を贈る意より、友人の間で贈り物のやりとりをすること。善を施せば、相手も善で報いてくるというたとえ。

稲麻竹葦（とうまちくい）
多くの人や物が入り乱れながら集まっているさま。また、幾重にも周囲が取り囲まれているさま。

桃李満門（とうりまんもん）
たくさんの優秀な人材が一門に集まることのたとえ。

兎角亀毛（とかくきもう）
兎の角と亀の毛のように、この世にありえないもののたとえ。

菟糸燕麦（としえんばく）
名ばかりで、役に立たないもののたとえ。「菟糸」はネナシカズラで糸はとれず、「燕麦」はカラスムギで食べることができないこと。類菟葵燕麦(ときえんばく)

徒手空拳（としゅくうけん）
何も手に持っていないこと。何かを始めようとするときに、身一つで他に頼むものがないこと。類赤手空拳

図南鵬翼（となんのほうよく）
大志を抱くことのたとえ。また、大事業や海外進出を企てることのたとえ。

土崩瓦解（どほうがかい）
物事が根底から崩れてしまって、手の施しようもない状態のこと。

頓首再拝（とんしゅさいはい）
頭を地にすりつけるようにして拝礼すること。手紙文などの最後に書く、相手への敬意を表す語。

な

忍気呑声（にんきどんせい）
遠慮して憤りを押さえ、言いたいこともあえて言わないでいること。

熱願冷諦（ねつがんれいてい）
熱心に願うことと、冷静に本質を見つめること。「諦」は明らかによく見ること。

梅妻鶴子（ばいさいかくし）
妻をめとることもなく、俗世を離れて風流気ままに暮らすこと。

杯酒解怨（はいしゅかいえん）
互いに酒を酌み交わすことで、恨みやわだかまりを水に流して仲直りをすること。

麦秀黍離（ばくしゅうしょり）
亡国の嘆き。世の移り変わりを嘆くたとえ。「麦秀」は麦の穂が伸びていること、「黍離」は黍（きび）などが生い茂ったさま。類 麦秀之歎（ばくしゅうのたん）

拍手喝采（はくしゅかっさい）
手をたたいて、さかんにほめたたえること。

白兎赤烏（はくとせきう）
月にいるという「白兎」と、太陽（日）にいるという「赤烏」を合わせて月と日。すなわち、時間の意。

博聞彊識（はくぶんきょうしき）
広く書物を読んで見聞が広く、物事をよく記憶していること。類 博聞強記／博覧強記

破綻百出（はたんひゃくしゅつ）
言動に一貫性がなく、欠点やほころびがつぎつぎに出てくること。

白虹貫日（はっこうかんじつ）
白い虹が太陽を貫くこと。兵乱の兆しを表すとされる現象。

抜山蓋世（ばつざんがいせい）
勢いが非常に強く、気力に満ちあふれているさま。勇壮な気質のたとえ。

抜本塞源（ばっぽんそくげん）
災いの根本原因を取り除き、再び弊害が起こらないようにすること。

波濤万里（はとうばんり）
大波を隔てたかなたの意で、遠い外国のこと。また、遠く海に隔てられていること。

万頃瑠璃（ばんけいるり）
青く広々としているさま。青々とした海や湖などの形容。

美酒佳肴（びしゅかこう）
おいしい酒とうまい肴（さかな）。すばらしいご馳走のこと。対 粗酒粗餐（そしゅそさん）

披星戴月（ひせいたいげつ）
朝早くから夜遅くまで骨身を惜しまずに働くこと。類 披星帯月

筆耕硯田（ひっこうけんでん）
筆で硯の田を耕すという意より、文筆で生計を立てること。類 傭書自資（ようしょじし）

眉目秀麗（びもくしゅうれい）
顔かたちがすぐれ、美しくととのっているさま。男性の容貌について用いる語。類 眉目清秀

百尺竿頭（ひゃくしゃくかんとう）
百尺もある竿の先端の意で、到達しうる最高点のたとえ。「百尺」は「ひゃくせき」とも読む。

百歩穿楊（ひゃっぽせんよう）
射撃の技術がたいへん優れていること。類 百発百中

氷肌玉骨（ひょうきぎょっこつ）
美しい女性の形容。また、梅の花の別名。

氷壺秋月（ひょうこしゅうげつ）
氷を入れた玉製の壺や秋の月のように、心が清く澄み切っていること。

飛鷹走狗（ひようそうく）
鷹を飛ばし犬を走らせる意より、狩りをすること。

風餐露宿（ふうさんろしゅく）
風の中で食事をし、露に濡れながら夜を過ごすこと。野宿をすること。

浮花浪蕊（ふかろうずい）
取り柄がなく、平凡であること。実を結ぶことのないむだ花のこと。

不倶戴天（ふぐたいてん）
同じ空の下でともに生きること

はできないと思うほど、恨みや憎しみが深いこと。

伏竜鳳雛（ふくりょうほうすう）
才能ある優れた人物が機会に恵まれることなく、世間に隠れていることのたとえ。類臥竜鳳雛

不失正鵠（ふしつせいこく）
物事の要点や急所を的確にとらえること。「正鵠」は弓の的の中心にある黒い星のこと。

不惜身命（ふしゃくしんみょう）
仏教語。仏道のために身も命も捧げて惜しまないこと。転じて、自らの体や命を顧みないこと。対可惜身命（あたらしんみょう）

釜底抽薪（ふていちゅうしん）
煮えたぎる釜の下の薪を引き抜いてしまえば、沸騰は止まる。問題を解決するためには、根本原因を取り除くことが肝要であるというたとえ。

焚琴煮鶴（ふんきんしゃかく）
琴を焼いて鶴を煮る意より、風流心のないこと。また、殺風景なことのたとえ。

文質彬彬（ぶんしつひんぴん）
「文質」は外面にあらわれた美しさと内面の実質の意で、「彬彬」はそれらがほどよく調和しているさま。

焚書坑儒（ふんしょこうじゅ）
書物を焼いて儒学者を生き埋めにする意より、言論や思想・学問などを弾圧すること。

蚊虻走牛（ぶんぼうそうぎゅう）
小さなものが強大なものを制すること。また、ささいなことが原因となって、大きな事件や災難が引き起こされるということ。

平談俗語（へいだんぞくご）
ふだんの会話で使われる、ごく普通の言葉。

碧落一洗（へきらくいっせん）
大空がからりと青く晴れわたるさま。「碧落」は青空のこと。「一洗」は一掃するという意。雨で青空をきれいに洗い流す意から。

鞭声粛粛（べんせいしゅくしゅく）
相手に気づかれないように、鞭の音をおさえて静かに馬を前に進めるさま。

偏僻蔽固（へんぺきへいこ）
心がねじけていて、かたくななこと。偏屈で意固地なこと。

方底円蓋（ほうていえんがい）
物事が食い違い、お互いにうまくかみ合わないことのたとえ。類円鑿方枘（えんさくほうぜい）

鵬程万里（ほうていばんり）
旅路や道のりが遠く隔たっていることのたとえ。また、果てしなく広がっている大海の形容。

蓬頭垢面（ほうとうこうめん）
ぼさぼさの頭髪と垢染みた顔。身だしなみに無頓着で、むさくるしいさま。

放蕩無頼（ほうとうぶらい）
酒色におぼれて勝手な振る舞いをし、身持ちを崩すこと。類放蕩不羈（ほうとうふき）

捧腹絶倒（ほうふくぜっとう）
腹を抱えて転げまわるほどに大笑いすること。

泡沫夢幻（ほうまつむげん）
水の泡と夢まぼろし。人生のはかないことのたとえ。類夢幻泡影（むげんほうよう）

亡羊補牢（ぼうようほろう）
失敗した後に、あわてて改善すること。また、失敗した後すぐに改善すれば、災いや被害を大きくしないですむということ。

暮色蒼然（ぼしょくそうぜん）
夕暮れ時の、あたりの景色が薄暗くなっているさま。

煩悩菩提（ぼんのうぼだい）
人間を悩ます煩悩も悟りの契機となるということ。煩悩と菩提とは一体であり、悩みがあって初めて悟りもあるということ。

ま

磨穿鉄硯（ませんてっけん）
鉄の硯をすり減らして穴をあけるほど勉強するという意より、たゆむことなく学問に励むこと。類蛍雪之功（けいせつのこう）

満腔春意（まんこうしゅんい）
和やかな気分が胸いっぱいに満ちていること。

未来永劫（みらいえいごう）
この先いつまでも続く果てしのない年月。永遠。類万劫末代（まんごうまつだい）

矛盾撞着（むじゅんどうちゃく）
物事の前後が食い違って、つじつまが合わないこと。類自家撞着

名声赫赫（めいせいかくかく）
良い評判が世間に光り輝くこと。世間の評判が非常に高いこと。

鳴蟬潔飢（めいせんけっき）
高潔な人はどのような状況にあっても節操を変えないというたとえ。

明哲保身（めいてつほしん）
聡明で道理に明るい人は、物事を的確に処理して身を安全に保つことができるということ。

名誉挽回（めいよばんかい）
失敗して落としてしまった名声や信用を、その後の行動で取り戻すこと。類名誉回復

盲亀浮木（もうきふぼく）
出会ったり、実現したりする可能性が極めて低いこと。めったに起こらないこと。類千載一遇

孟仲叔季（もうちゅうしゅくき）
兄弟姉妹の長幼の順をいう語。長子・次子・三子・四子の称。類伯仲叔季（はくちゅうしゅくき）

孟母三遷（もうぼさんせん）
子供の教育には、ふさわしい環境を選ぶことが大切であるという教え。孟子の母の教え。

孟母断機（もうぼだんき）
学業を途中で放棄する愚かさを戒めるたとえ。類断機之戒（だんきのいましめ）

百舌勘定（もずかんじょう）
勘定をするときに、うまい言い草で自分だけが得をするようにすること。

門前雀羅（もんぜんじゃくら）
門前に雀が群れて網で捕らえられるほどに、訪れる者もなく寂れ果てたさま。

問鼎軽重（もんていけいちょう）
君主の権威を疑って、その地位を奪おうとすること。また、権威や権力を有する者の能力や実力を疑うこと。

や

冶金踊躍（やきんようやく）
るつぼの中で加熱した金属が溶けて跳ね上がり、外に出ようとすること。自らが置かれた立場に安んじることができないたとえ。

夜郎自大（やろうじだい）
自分の力量を知らずに、えらそうにいばること。類井底之蛙（せいていのあ）／用管窺天（ようかんきてん）

邑犬群吠（ゆうけんぐんばい）
つまらない者たちが寄り集まって、あれやこれやと人の悪口を言ったり騒ぎ立てたりすること。

融通無礙（ゆうずうむげ）
考え方や行動がのびのびとしていて、こだわりがないさま。対四角四面／杓子定規（しゃくしじょうぎ）

妖怪変化（ようかいへんげ）
人間には理解することのできない不思議な化け物のこと。「妖怪」「変化」は、ともに化け物の意。類魑魅魍魎（ちみもうりょう）

用管窺天（ようかんきてん）
世間知らずで、視野や見識が狭いことのたとえ。類管中窺豹（かんちゅうきひょう）／管窺蠡測（かんきれいそく）

妖言惑衆（ようげんわくしゅう）
根拠のはっきりしない怪しげなことを言いふらして、多くの人を惑わせること。

羊質虎皮（ようしつこひ）
見掛け倒しで実質が伴わないことのたとえ。実際は羊なのに、虎の皮をかぶっている意。類羊頭狗肉（ようとうくにく）

鷹視狼歩（ようしろうほ）
猛々しくて隙のない人のたとえ。鷹のように鋭い目つきと、狼のように貪欲に獲物を求めるような歩き方の意。

羊頭狗肉（ようとうくにく）
外見と実質が一致しないことのたとえ。見掛け倒しであること。

類羊質虎皮

容貌魁偉（ようぼうかいい）
姿かたちが堂々としていて立派なさま。「魁偉」は大きくて立派であるという意。

ら

落筆点蠅（らくひつてんよう）
自分の過失を巧妙に取り繕って、逆に上手に仕上げること。

嵐影湖光（らんえいここう）
青々とした山の気と湖面の輝き。山水の美しい風景の形容。

類山紫水明

蘭桂騰芳（らんけいとうほう）
蘭や桂の香りが匂い立つこと。子孫が繁栄することのたとえ。

李下瓜田（りかかでん）
人に疑念を抱かせるような行動はしないほうがよいというたとえ。類瓜田之履（かでんのり）

六菖十菊（りくしょうじゅうぎく）
時期に遅れて役に立たないことのたとえ。端午の節句、重陽の節句にそれぞれ一日遅れた五月六日の菖蒲と九月十日の菊の意。

類夏炉冬扇（かろとうせん）

良禽択木（りょうきんたくぼく）
賢い鳥が木を選んで巣を作るように、賢い人物は自分が仕える主人をよく品定めして仕官するものであるということ。

竜章鳳姿（りょうしょうほうし）
伝説上の霊獣や霊鳥とされる竜や鳳凰のように、気高く威厳に満ちた容姿の形容。

綾羅錦繍（りょうらきんしゅう）
あやぎぬとうすぎぬと錦と刺繍のある織物の意。きらびやかで美しいもののこと。また、美しく着飾ること。

臨淵羨魚（りんえんせんぎょ）
淵の前に立っているだけでは、魚を手に入れることはできないということ。何の努力や工夫もせずに、いたずらに空しい望みを抱くたとえ。

鱗次櫛比（りんじしっぴ）
鱗や櫛の歯のように、細かくびっしりと並んでいるさま。

麟子鳳雛（りんしほうすう）
麒麟の子と鳳凰の雛の意より、将来性のある子供のたとえ。

類飛兎竜文（ひとりょうぶん）／竜駒鳳雛（りょうくほうすう）

輪廻転生（りんねてんしょう）
死んでは生まれ変わり、また死んでは生まれ変わるというふうに、何度も生死を繰り返すこと。仏教語。類流転輪廻（るてんりんね）

老莱斑衣（ろうらいはんい）
楚（そ）の老莱子が七十歳になっても派手な服を着て子供のように振る舞い、親に年を忘れさせようとしたという故事より、孝養を尽くすたとえ。

魯魚章草（ろぎょしょうそう）
よく似ていて書き誤りやすい文字のこと。また、文字を書き誤ること。類魯魚亥豕（ろぎょがいし）／烏焉魯魚（うえんろぎょ）

六道輪廻（ろくどうりんね）
この世に生きるすべてのものは、天道・人間道・修羅道・畜生道・餓鬼道・地獄道から成る六道の世界に生と死を繰り返して、さまよい続けるということ。

類輪廻転生

六根清浄（ろっこんしょうじょう）
人間の欲望や迷いを断ち切って、心身を清らかに保つこと。

わ

和光同塵（わこうどうじん）
自分の才能や徳の光を和らげ隠して俗世間と交わり、目立たないように暮らすこと。

故事・諺

準1級の出題範囲である故事・諺を50音順に掲載しました。なお、類は同じような意味を持つもの、対は反対の意味を持つものを示しています。

あ

愛屋烏《あいおくう》に及《およ》ぶ

人を深く愛するようになると、その人の家の屋根にとまる烏まで可愛らしく思えるということ。愛情が深いことのたとえ。類屋烏の愛／対坊主憎けりゃ袈裟まで憎い

挨拶《あいさつ》は時《とき》の氏神《うじがみ》

争いごとが起きたときに仲裁してくれる人は、氏神様のようにありがたいものだから、その仲裁には素直に従うほうがよいということ。類仲裁は時の氏神／時の氏神

開《あ》いた口《くち》へ牡丹餅《ぼたもち》

何の努力もしないのに、思いがけない幸運が舞い込んでくることのたとえ。類棚から牡丹餅／鴨が葱を背負って来る／対蒔かぬ種は生えぬ

秋《あき》の日《ひ》は釣瓶《つるべ》落《お》とし

秋の日は、井戸の中に釣瓶を落とすように、急速に暮れていくということ。秋の日没が早いことのたとえ。

虻蜂《あぶはち》取《と》らず

二つのものを同時に手に入れようとすると、両方とも得られなくなるということ。欲張ると、何一つ手に入れることができなくなるというたとえ。類二兎を追うものは一兎をも得ず／花も折らず実も取らず

危《あや》うきこと累卵《るいらん》の如《ごと》し

非常に不安定で危険な状態にあることのたとえ。「累卵」は、積み重ねた卵のこと。類薄氷を履む／累卵の危うき

家《いえ》貧《まず》しくして孝子《こうし》顕《あらわ》れ、世《よ》乱《みだ》れて忠臣《ちゅうしん》を識《し》る

貧しい家には孝行な子供が出て、世の中が混乱したときには誰が真の忠臣であるのか明らかになるという意より、逆境のときこそ立派な人物があらわれるというたとえ。

衣食《いしょく》足《た》りて栄辱《えいじょく》を知《し》る

物質的に不自由がなくなって、初めて人は名誉と恥辱の違いを心得るようになるということ。類衣食足りて礼節を知る／倉廩（そうりん）実ちて礼節を知る

磯際《いそぎわ》で舟《ふね》を破《わ》る

波打ち際まで来たのに、上陸目前で船を壊してしまうこと。物事の達成を目の前にして、それまでの努力が水の泡になってしまうたとえ。

逸物《いちもつ》の鷹《たか》も放《はな》さねば捕《と》らず

すぐれた鷹も空へ放たなければ鳥を捕らえないという意味から、どんなに能力のある者でも、実際に使わなければ何の役にも立たないということ。

一家《いっか》は遠《とお》のく蚤《のみ》は近寄《ちかよ》る
家が困窮すると親類は疎遠になって、近くに寄ってくるのは蚤ばかりであるということ。

一擲乾坤《いってきけんこん》を賭《と》す
天下をとるかすべてを失うか、運を天に任せて一か八か思い切ってやってみること。**類**一か八か／伸るか反るか／乾坤一擲

一斑《いっぱん》を見《み》て全豹《ぜんぴょう》を卜《ぼく》す
物事の一部分だけを見て、全体を推測すること。**類**一斑を見て全豹を知る

犬骨折《いぬほねお》って鷹《たか》の餌食《えじき》
鷹狩りで犬が苦労して草むらから獲物を追い出しても、鷹に取られてしまうという意より、苦労して手に入れかけたものを他人に横取りされてしまうことのたとえ。**類**骨折り損の草臥れ儲け

命長《いのちなが》ければ蓬莱《ほうらい》を見《み》る
長生きすればこそ、幸運にもめぐりあえるというたとえ。「蓬莱」は、仙人が住んでいるという不老不死の霊山のこと。**対**命長ければ恥多し

衣鉢《いはつ》を継《つ》ぐ
学問や芸術などで、師や先人からその道の奥義を受け継ぐこと。「衣鉢」は、袈裟と托鉢に用いる鉢のことで、法統を受け継ぐしるしとして、師から弟子に与えたもの。

鰯《いわし》の頭《かしら》も信心《しんじん》から
鰯の頭のようにとるにたらないものでも、信心する者には尊いものに見えるということ。信仰心が不思議な力を持つことをたとえたことわざ。**類**白紙（しらかみ）も信心から

有卦《うけ》に入《い》る
幸運に恵まれて、良いことが続くこと。「有卦」は、陰陽道で七年間続くとされる幸運の年回りのこと。

独活《うど》の大木《たいぼく》
体ばかり大きくて、何の役にも立たない人のたとえ。独活は、若芽のうちこそ食用になるが、大木になると柔らかすぎて建築材料にもならないことから。**類**大男総身（そうみ）に知恵が回りかね／**対**山椒は小粒でもぴりりと辛い

鵜《う》の真似《まね》する烏《からす》
鵜の真似をして魚を捕ろうとする烏は水に溺れることから、自分の能力を知らず、人の真似をして失敗する者のたとえ。

瓜《うり》の蔓《つる》に茄子《なすび》はならぬ
平凡な親から非凡な才能を持った子は生まれないことのたとえ。また、原因のないところに結果は生じないことのたとえ。**類**蛙の子は蛙／**対**鳶が鷹を生む

烏鷺《うろ》の争《あらそ》い
囲碁で勝負を争うこと。碁の黒石と白石を黒い烏と白い鷺に見立てた言葉。

得手《えて》に帆《ほ》を揚《あ》げる
自分の得意とする分野で力を発揮する好機をつかみ、ここぞとばかりに張り切ること。**類**追風（おいて）に帆を揚げる／流れに棹さす

鴛鴦《えんおう》の契《ちぎ》り
「鴛鴦」はおしどりのこと。おしどりは雄と雌がいつも寄り添っていて離れないことから、夫婦仲のむつまじいことのたとえ。**類**比翼連理／比目（ひもく）の魚

燕雀《えんじゃく》安《いずく》んぞ鴻鵠《こうこく》の志《こころざし》を知《し》らんや

小人物には、大人物の遠大な志は理解できないということ。「燕雀」はツバメやスズメのような小さな鳥のことで、小人物の意。「鴻鵠」はオオトリや白鳥のような大きな鳥のことで、大人物のたとえ。類猫は虎の心を知らず

鸚鵡《おうむ》よく言《い》えども飛鳥《ひちょう》を離《はな》れず

鸚鵡は人間の言葉を真似るのが上手であるが、所詮は鳥でしかない。口先ばかりが達者で、実際の行動が伴わないことのたとえ。類猩猩（しょうじょう）よく言えども禽獣を離れず

親《おや》の欲目《よくめ》と他人《たにん》の僻目《ひがめ》

親というものはわが子に対しては甘く、実際よりもひいき目に見てしまいがちであるが、他人は逆に実際よりも辛い評価を下す傾向があるということ。

か

会稽《かいけい》の恥《はじ》を雪《すす》ぐ

手ひどい屈辱に耐えて、復讐を遂げることのたとえ。中国の春秋時代、越王の勾践（こうせん）が呉王の夫差（ふさ）に会稽山で敗れた後、恥辱に耐えながらやがて呉を討ち滅ぼして、恥をすすいだという故事から。

嘉肴《かこう》有《あ》りといえども、食《く》らわずんばその旨《うま》きを知《し》らず

いくらおいしい御馳走があっても、実際に食べてみなければその旨さはわからないということ。転じて、聖人の立派な道も学んでみなければ、その価値がわからないということ。また、実際に用いてみなければ、その人物の器量は未知数であるということ。「嘉肴」は「佳肴」とも書く。類旨酒（ししゅ）嘉肴有りといえども嘗めざればその旨きを知らず

苛政《かせい》は虎《とら》よりも猛《たけ》し

過酷な政治のもとにある人民の苦しみは、虎に食われて命を落とす苦しみよりも甚だしいということ。

火中《かちゅう》の栗《くり》を拾《ひろ》う

自分の利益にはならないのに、他人のために危険を冒すことのたとえ。

渇《かっ》しても盗泉《とうせん》の水《みず》を飲《の》まず、熱《ねっ》しても悪木《あくぼく》の陰《かげ》に憩《いこ》わず

いくら苦しく困っていても、不正や不義には手を出さないことのたとえ。

瓜田《かでん》に履《くつ》を納《い》れず

瓜畑で靴を履きなおそうとかがむと、瓜を盗んでいるのではないかと疑われる意より、人に疑念を抱かせるような行動は慎むべきであるという戒め。類李下（りか）に冠を正さず／瓜田李下

門松《かどまつ》は冥土《めいど》の旅《たび》の一里塚《いちりづか》

門松を立てるごとに一つずつ年齢を重ねていくことになるから、正月の門松は一歩ずつ死に近づいていることを示するしであるということ。この後に「めでたくもありめでたくもなし」と続く狂歌は、一休禅師の作であるという説がある。

鼎《かなえ》の軽重《けいちょう》を問《と》う

君主の権威を疑って、その地位を奪おうとすること。また、権威や権力を有する者の能力や実力を疑うこと。

鉄槌《かなづち》の川流《かわなが》れ

鉄槌は頭の部分を下にして川を流れていくことから、人に頭のあがらないことのたとえ。また、出世の見込みのないこと。

蟹《かに》は甲羅《こうら》に似《に》せて穴《あな》を掘《ほ》る

人は、自分の身分や力量に応じた言動をしたり、望みを持ったりするものだということ。類根性に似せて家を作る

鉦《かね》や太鼓《たいこ》で探《さが》す

大勢で大騒ぎをしながら、方々を探し回ること。

禍福《かふく》は糾《あざな》える縄《なわ》の如《ごと》し

災いと福は表裏一体であり、よりあわせた縄のように交互にやってくるということ。類吉凶は糾える縄の如し／人間万事塞翁（さいおう）が馬／沈む瀬あれば浮かぶ瀬あり／楽は苦の種、苦は楽の種

亀《かめ》の年《とし》を鶴《つる》が羨《うらや》む

千年も生きるといわれる鶴が、万年の寿命を保つといわれる亀を羨む意より、欲望には際限がないことのたとえ。類隴（ろう）を得て蜀を望む／千石取れば万石羨む

枯《か》れ木《き》も山《やま》の賑《にぎ》わい

枯れた木でも山に風情を添えるくらいの役には立つという意より、つまらないものでも無いよりはましであることのたとえ。類枯れ木も森の賑わかし／餓鬼も人数／蟻も軍勢

眼光紙背《がんこうしはい》に徹《てっ》す

書物を読んで単に字句を解釈するだけでなく、その字句や行間の背後にある深い意味まで読みとること。

肝胆相《かんたんあい》照《て》らす

お互いに心の奥底まで打ち明けあって、親しく交際すること。「肝胆」は、肝臓と胆嚢（たんのう）のこと。転じて、心の奥底の意。

歓楽極《かんらくきわ》まりて哀情多《あいじょうおお》し

喜びや楽しみが極まると、かえって悲しみの情が強くなるものだということ。漢の武帝の言葉。類楽しみ尽きて悲しみ来（きた）る

奇貨居《きかお》くべし

珍しい品物であるから、今買っておけば将来利益が得られるということ。転じて、得がたい好機がめぐってきたら逃すことなく、うまくこれを利用すべきだということ。類好機逸すべからず

帰心矢《きしんや》の如《ごと》し

自分の家や故郷に帰りたいと思う気持ちが非常に強いこと。「帰心」は、故郷やわが家に帰りたいと願う心の意。

窮鼠《きゅうそ》猫《ねこ》を噛《か》む

追いつめられた鼠が猫に噛みつくことがあるように、弱いものでも絶体絶命の立場に追い込まれると、強いものに反撃することがあるというたとえ。類窮寇（きゅうこう）は迫ること勿れ

錐《きり》の嚢中《のうちゅう》に処《お》るがごとし

才能のある人は、多くの人の中にあっても自然と頭角をあらわし、人に知られるようになるというたとえ。

騏驎《きりん》も老《お》いては駑馬《どば》に劣《おと》る

すぐれた人物でも、年をとると働きが凡人にも及ばなくなることのたとえ。類昔千里も今一里／対亀の甲より年の劫

轡《くつわ》の音《おと》にも目《め》を覚《さ》ます

用心深く、少しのことにも敏感に反応すること。転じて、仕事柄身についた鋭い感覚や習性のたとえ。

国《くに》に諌《いさ》むる臣《しん》あればその国《くに》必《かなら》ず安《やす》し

君主の政治や行為を諌める私心のない臣下がいれば、その国は安泰であるということ。

蜘蛛《くも》の子《こ》を散《ち》らす

蜘蛛の子の入っている袋を破ると、蜘蛛の子が四方八方に散らばっていくところから、大勢のものが四方八方に散り散りになって逃げていくことのたとえ。

袈裟《けさ》と衣《ころも》は心《こころ》に着《き》よ

単に袈裟や衣を身につけただけでは信仰しているとはいえず、袈裟を心の上につけることによって、初めて真の仏道信仰になるということ。つまり、外見より内容が肝腎であることのたとえ。類頭剃るより心を剃れ／夜を染めるより心を染めよ

外面似菩薩《げめんじぼさつ》、内心如夜叉《ないしんにょやしゃ》

外面は美しく柔和に見えるが、内心は夜叉のように邪悪であるということ。仏教で、男性にとって女性は煩悩の種であることをたとえた言葉。「外面似菩薩」は「外面如菩薩」ともいう。

紅旗征戎吾《こうきせいじゅうわ》が事《こと》に非《あら》ず

朝廷の旗を押し立てての朝敵征伐であろうと、自分にはまったく関係のないことであるという意。『名月記』に見える、藤原定家の有名な言葉。

巧詐《こうさ》は拙誠《せっせい》に如《し》かず

巧みに偽り人を欺こうとするよりも、拙くても誠実に対応するほうがはるかに良いということ。

香餌《こうじ》の下《もと》必《かなら》ず死魚《しぎょ》あり

利益の陰には必ず危険が潜んでいるということ。利欲に惑わされて、身を滅ぼすことのたとえ。「香餌」は、よいにおいのする餌のこと。

浩然《こうぜん》の気《き》を養《やしな》う

俗世の煩わしさから解放され、おおらかで伸び伸びとした心持ちになること。

紺屋《こうや》の白袴《しろばかま》

他人のことに忙しく、自分のことには手が回らないことのたとえ。また、いつでもできると思っているうちに、できないままで終わってしまうことのたとえ。類医者の不養生／髪結いの乱れ髪

孤掌《こしょう》鳴《な》らし難《がた》し

片方の手だけで手を打ち鳴らすことはできないという意より、人間は一人だけでは何もできないということ。事を成し遂げるには、協力者が必要であるというたとえ。「孤掌」は、片方のてのひらの意。類片手で錐は揉めぬ

事《こと》が延《の》びれば尾鰭《おひれ》が付《つ》く

物事は長引くと面倒なことが起こってやりにくくなるということ。事が起きたら、できるだけ早く処理すべきであるという戒め。

さ

采薪《さいしん》の憂《うれ》い

病気で薪（たきぎ）をとりに行けないことから、自分の病気をへりくだっていう語。

類負薪の憂い

鷺《さぎ》は洗《あら》わねどもその色白《いろしろ》し

生まれつきのものは、いくら変えようとしても変えることはできないというたとえ。

類烏は百度洗っても鷺にはならぬ

桜三月《さくらさんがつ》、菖蒲《しょうぶ》は五月《ごがつ》

時季の花をいった言葉。桜は三月、菖蒲は五月が見頃であるということ。

自家薬籠中《じかやくろうちゅう》の物《もの》

自分の薬箱の中にある薬のように、必要に応じて自分の思いどおりに使いこなすことができるもののこと。「薬籠」は薬箱のこと。

地獄《じごく》の沙汰《さた》も金次第《かねしだい》

地獄の裁きでさえ金の力で有利になるというほどだから、この世では金さえあれば何事も思いのままになるというたとえ。

類仏の沙汰も銭

死《し》は或《ある》いは泰山《たいざん》より重《おも》く或《ある》いは鴻毛《こうもう》より軽《かろ》し

人は命を惜しんで犬死にしないようにすべき場合もあり、また命を顧みず潔く死なねばならない場合もある。その判断は、義にかなうか否かによって決すべきであるということ。

釈迦《しゃか》に宗旨《しゅうし》なし

仏道の開祖である釈迦には何宗何派などという宗派はないという意より、宗派同士の争いは意味がないということ。

類宗旨の争い釈迦の恥

喋《しゃべ》る者《もの》は半人足《はんにんそく》

仕事をしながらおしゃべりをする者は、おしゃべりに気をとられて半人まえしか仕事ができないということ。

愁眉《しゅうび》を開《ひら》く

心配ごとや悩みごとがなくなって、ほっと安心すること。

類眉を開く／眉を伸べる／

対眉を顰める

出藍《しゅつらん》の誉《ほま》れ

青色の染料は藍から得るが、もとの藍より青くなるという意より、弟子の才能や業績が師のそれよりも上回ることのたとえ。

知《し》らぬ神《かみ》より馴染《なじ》みの鬼《おに》

知らない神様より、よく知っている鬼のほうがまだましだの意より、たとえどんなものであっても、疎遠なものより慣れ親しんだもののほうが勝るというたとえ。

類知らぬ仏より馴染みの鬼

人生字《じんせいじ》を識《し》るは憂患《ゆうかん》の始《はじ》め

人は字を覚えて学問をするようになると、いろいろと悩みや疑問を抱えて苦労をするようになるということ。無学で何も知らないほうが、かえって気楽であるということ。

錐刀《すいとう》を以《もっ》て太山《たいざん》を堕《こぼ》つ

小さな力で強大なものに立ち向かうことのたとえ。「錐刀」は、先のとがった小さな刀のこと。「太山」は、大きな山の意。

正鵠《せいこく》を射《い》る

物事の要点や急所をついていること。「正鵠」は、弓の的の中心にある黒い点のこと。【類】肯綮(こうけい)に中(あた)る

前車《ぜんしゃ》の覆轍《ふくてつ》を踏《ふ》む

前の人がした失敗を、後の人が同じように繰り返すこと。「覆轍」は、前の車の転倒した車輪の跡のこと。転じて、失敗の前例の意。「前車の轍を踏む」「前轍を踏む」ともいう。【類】前車の覆るは後車の戒め／覆車の戒め

千丈《せんじょう》の堤《つつみ》も蟻穴《ぎけつ》より崩《くず》る

ほんのわずかな不注意や油断がもとで、取り返しのつかない大事を引き起こすことがあるというたとえ。【類】大山も蟻穴より崩る／油断大敵

栴檀《せんだん》は双葉《ふたば》より芳《かんば》し

栴檀が発芽したばかりの頃から香気を放つように、大成する人物は子供のときから人並みはずれて優れたところがあるというたとえ。「栴檀」は香木である白檀のこと。

創業《そうぎょう》は易《やす》く守成《しゅせい》は難《かた》し

新たに事業を興すよりも、その事業を受け継いで守り育てていくほうが難しいということ。創業と守成ではどちらが難しいかと唐の太宗(たいそう)に問われたときに、臣下の魏徴(ぎちょう)が答えた言葉。

糟糠《そうこう》の妻《つま》は堂《どう》より下《くだ》さず

貧しいときから苦労をともにしてきた妻を、自分が立身出世したからといって家から追い出すわけにはいかないということ。「糟糠」は酒かすと米ぬかのことで、粗末な食物のたとえ。

蕎麦《そば》の花見《はなみ》て蜜《みつ》を取《と》れ

初秋に蕎麦の花の咲いた後が、蜂蜜を採取するのにちょうどいい時期であるということ。

た

玉《たま》の輿《こし》に乗《の》る

女性が、富貴の人に見初められて結婚し、富や地位を得ることのたとえ。【類】氏無くて玉の輿に乗る／女は氏無くて玉の輿に乗る

茶殻《ちゃがら》も肥《こえ》になる

世の中には全く役に立たないものはないということのたとえ。

朝菌《ちょうきん》は晦朔《かいさく》を知《し》らず

限られた境遇にある者は、広い世界があることに理解が及ばないというたとえ。また、寿命が短いことのたとえ。「朝菌」は朝生えて晩には枯れてしまうキノコのこと。「晦朔」は月のみそかとついたちの意。

頂門《ちょうもん》の一針《いっしん》

頭のてっぺんに一本の針を刺す意より、人の急所をついた厳しい戒めを加えること。また、その戒め。【類】頂門の金椎(きんつい)／寸鉄人を殺す

珍客《ちんきゃく》も長座《ちょうざ》に過《す》ぎれば厭《いと》われる

たまにしか来ない珍しい客でも、いつまでも長居をしていると、結局は嫌がられてしまうものだということ。訪問は適当なところで切りあげることが大切であるという意。デンマークの作家、アンデルセンの格言。

付《つ》け焼《や》き刃《ば》は鈍《なま》りやすい

その場しのぎで身につけた知識は、すぐに底が割れてしまうということ。一時のごまかしは長く続かず、やがてぼろが出てしまうということ。類付け焼き刃は剝げ易い

角《つの》を矯《た》めて牛《うし》を殺《ころ》す

曲がっている牛の角をまっすぐにしようとして、牛を殺してしまう意味から、少しの欠点を直そうとして、逆に全体をだめにしてしまうこと。類枝を矯めて花を散らす

轍鮒《てっぷ》の急《きゅう》

車が通った跡のくぼみにできた水溜りにいる鮒の意より、差し迫った危機や困難のたとえ。類焦眉（しょうび）の急

点滴石《てんてきいし》をも穿《うが》つ

わずかな力でも、こつこつと努力を続ければ、大きな成果を得ることができるということ。「涓滴（けんてき）岩を穿つ」ともいう。類雨垂れ石を穿つ／牛の歩みも千里

天網恢恢疎《てんもうかいかいそ》にして漏《も》らさず

天は厳正であり、悪事を行った者は早晩、罰を受けることになるということ。類天道様は見通し／対網 呑舟（どんしゅう）の魚を漏らす／大魚は網を破る

天《てん》を仰《あお》いで唾《つばき》する

天に向かって唾を吐くと、自分の顔に落ちてくることから、人に害を与えようとして、かえって自分自身がひどい目にあうことのたとえ。「天に向かって唾を吐く」または「天に唾す」ともいう。類寝て吐く唾／お天道様に石

塗炭《とたん》の苦《くる》しみ

泥にまみれ火に焼かれるような、ひどい苦しみのこと。「塗」は泥、「炭」は火の意。

鳶《とび》が鷹《たか》を生《う》む

平凡な親から、優れた子供が生まれるたとえ。類鳶が孔雀を生む／対瓜の蔓に茄子はならぬ

な

難波《なにわ》の葦《あし》は伊勢《いせ》の浜荻《はまおぎ》

物の名や風俗・習慣などは、土地ごとに変わるものであるというたとえ。類頂所変われば品変わる

二豎《にじゅ》に冒《おか》される

病魔に冒されることのたとえ。「豎」は、子供のこと。晋の景公が病気にかかったとき、病魔が二人の童子の姿となって現れる夢をみたという故事による。「二豎」は「二竪」とも書く。

人間万事塞翁《にんげんばんじさいおう》が馬《うま》

人生の吉凶や禍福の転変は予測しがたいことのたとえ。単に「塞翁が馬」ともいう。類禍福は糾える縄の如し／沈む瀬あれば浮かぶ瀬あり

糠《ぬか》に釘《くぎ》

糠に釘を打つのと同じように、何の手応えも効き目もないことのたとえ。**類**豆腐に鎹（かすがい）／暖簾（のれん）に腕押し

濡《ぬ》れ手《て》で粟《あわ》

濡れ手で粟をつかむと粟粒がたくさん付いてくることから、苦労しないで利益を得るたとえ。**類**一攫千金（いっかくせんきん）

暖簾《のれん》に腕押《うでお》し

手ごたえや張り合いがないことのたとえ。**類**豆腐に鎹（かすがい）／糠に釘

は

破鏡《はきょう》再《ふたた》び照《て》らさず

別れた夫婦のように、一度こわれてしまった関係は再びもとには戻らないことのたとえ。**類**覆水盆に返らず／**対**破鏡重円

莫逆《ばくぎゃく》の交《まじ》わり

極めて親密な付き合いのこと。「莫逆」は、お互いに争うことのない親密な間柄の意で、「ばくげき」とも読む。**類**管鮑の交わり

白駒《はっく》の隙《げき》（郤）を過《す》ぐるがごとし

白い馬が壁の隙間を一瞬のうちに走り過ぎるように、月日の過ぎ去るのはまことに早いものであるということ。**類**光陰矢の如し／歳月人を待たず

盤根錯節《ばんこんさくせつ》に遇《あ》いて利器《りき》を知《し》る

処理や解決が困難な問題にぶつかって、はじめてその人物の器量や価値がわかるということ。「槃根」とも書く。「盤根」は曲がりくねった木の根で、「錯節」は入り組んだ木の節の意。「利器」は、切れ味のよい刃物のこと。

万緑叢中紅一点《ばんりょくそうちゅうこういってん》

一面の緑の草木の中に一輪だけ咲いている赤い花の意。多くのものの中で一つだけ異彩を放つものが交じっていることのたとえ。また、多くの男性の中に一人だけ女性がいることのたとえ。**類**紅一点

庇《ひさし》を貸《か》して母屋《おもや》を取《と》られる

所有物の一部を貸しただけなのに、つけこまれて全部を取られてしまうこと。また、恩を仇で返されること。**類**飼い犬に手を嚙まれる

肘鉄砲《ひじでっぽう》を食《く》わす

相手を肘の先で突きのけること。相手の誘いや申し出などをはねつけること。

飛鳥《ひちょう》尽《つ》きて良弓《りょうきゅう》蔵《かく》れ、狡兎《こうと》死《し》して走狗《そうく》烹《に》らる

敵国が滅びれば軍功のあった家臣も不要となり、殺されてしまうということ。利用価値のある間は使われるが、無用になればあっさりと捨てられてしまうことのたとえ。

羊《ひつじ》を亡《うしな》いて牢《ろう》を補《おぎな》う

失敗した後に、あわてて改善すること。また、失敗した後、すぐに改善すれば、災いや被害を大きくしないで済むということ。**類**兎を見て鷹を放つ／兎を見て犬を呼ぶ

匹夫《ひっぷ》も志《こころざし》を奪《うば》うべからず

身分の低い者でも意志が堅固であれば、何人もその志を変えさせることはできないということ。堅い志を持っている人は、身分や業績にかかわらず軽視してはならないということ。**類**馬を水辺に連れていくことはできても水を飲ませることはできない／一寸の虫にも五分の魂

百尺竿頭《ひゃくしゃくかんとう》に一歩《いっぽ》を進《すす》む

すでに頂点に達しているが、さらに努力を重ねて一歩上を目指すこと。また、十分に言葉を尽くして説いたうえに、さらに一歩進めて説くこと。禅語。

氷炭相容《ひょうたんあいい》れず

氷を溶かす炭火と、炭火を消す氷が、調和することはありえないという意。性質が正反対で、調和することのない間柄をたとえた言葉。**対**氷炭相愛す

瓢箪《ひょうたん》から駒《こま》が出《で》る

起こるはずのないことが起こること。冗談で言ったことが本当になること。**類**嘘から出た実（まこと）／冗談から駒

瓢箪《ひょうたん》に釣《つ》り鐘《がね》

瓢箪と釣り鐘では、ぶら下がるという点では同じだが、大小や軽重には比較にならないほどの差があることから、釣り合わないことや比べものにならないことのたとえ。**類**提灯に釣り鐘／月と鼈（すっぽん）

蛭《ひる》に塩《しお》

蛭は塩をかけられると縮んでしまうところから、苦手なものを前にして縮みあがってしまうことのたとえ。**類**蛞蝓（なめくじ）に塩／青菜に塩

枇杷《びわ》が黄色《きいろ》くなると医者《いしゃ》が忙《いそが》しくなる

枇杷の色づく頃になると体調不良や食欲不振などで医者にかかる人が多くなることから、夏になり医者が繁盛することのたとえ。

富貴《ふうき》にして故郷《こきょう》に帰《かえ》らざるは、繡《しゅう》を衣《き》て夜行《よるゆ》くがごとし

功名をあげ出世したとしても、故郷に帰らなければ、誰も気づいてはくれないということ。秦王朝を滅ぼした楚の項羽（こうう）の有名な言葉。

夫婦喧嘩《ふうふげんか》は犬《いぬ》も食《く》わぬ

選り好みせずに何にでも首を突っ込んで食べる犬でさえ、夫婦喧嘩には見向きもしないという意。夫婦喧嘩はつまらないことが原因で起こり、すぐ仲直りするものだから、他人が仲裁するものではないということ。

武士《ぶし》は食《く》わねど高楊枝《たかようじ》

武士は貧しくて食事ができないときでも、悠々と楊枝を使用して、じゅうぶんに食べたかのようなふりをするという意。貧しい者はたとえ貧しい境遇にあっても、気位を高く保って悠然としていることのたとえ。**類**侍食わねど高楊枝／腹がすいてもひもじゅうない

筆《ふで》を誤《あやま》りて蠅《はえ》を作《つく》る

筆をうっかり落としてできてしまった汚れをうまく蠅に書きかえる意より、過ちを巧妙に取り繕って逆に上手に仕上げることのたとえ。**類**落筆点蠅（らくひってんよう）

文章《ぶんしょう》は経国《けいこく》の大業《たいぎょう》、不朽《ふきゅう》の盛事《せいじ》

文章は治国の大事業であり、後世まで長く残るすばらしい事業であるということ。

蚊虻牛羊《ぶんぼうぎゅうよう》を走《はし》らす

小さなものが強大なものを制すること。また、ささいなことが原因となって、大きな事件や災難が引き起こされるということ。

鳳凰群鶏《ほうおうぐんけい》と食《しょく》を争《あらそ》わず

鳥の王者である鳳凰は、鶏の群れに交じって食べ物を争うようなことはしない意から、孤高を貫き俗界を超越しているということ。

骨折《ほねお》り損《ぞん》の草臥《くたび》れ儲《もう》け

苦労しても疲れるだけで、何の成果もあがらないこと。類犬骨折って鷹の餌食／労して功なし／湯を沸かして水にする

洞《ほら》が峠《とうげ》をきめこむ

旗色の良い方につこうとして、形勢をうかがうこと。日和見の態度をとること。類両端を持す

惚《ほ》れた腫《は》れたは当座《とうざ》のうち

惚れたの惚れられたのと言って喜んでいられるのは、夫婦になりたてのときだけであるということ。恋愛の初めには激しい情念が伴うが、その情念もやがては冷めてしまうものだということ。

煩悩《ぼんのう》なければ菩提《ぼだい》なし

人間を悩ます煩悩も悟りの契機になるということ。煩悩と菩提とは一体であり、悩みがあって初めて悟りもあるということ。

ま

身《み》から出《で》た錆《さび》

自分の犯した悪行のために、自分自身が苦しむこと。類因果応報／自業自得

蓑《みの》になり笠《かさ》になり

何かにつけてかばうことのたとえ。類陰になり日向になり

昔《むかし》とった杵柄《きねづか》

若い頃にしっかりと鍛えて身につけた技能や腕前のこと。

儲《もう》けぬ前《まえ》の胸算用《むなざんよう》

まだ儲けてもいないのに、儲けた気になって計画を立てる意より、不確実なことに期待をかけ、それを当てにしていろいろと計画を立てること。類捕らぬ狸の皮算用

門前雀羅《もんぜんじゃくら》を張《は》る

門前に雀が群れて網で捕らえられるほどに、訪れる者もなく寂れ果てているさまのたとえ。「雀羅」は、雀などを捕らえるときに使用する霞網のこと。類閑古鳥（かんこどり）が鳴く／対門前市を成す

や

野《や》に遺賢《いけん》なし

有能な人材がすべて認められ官吏となり、民間にはいないこと。その結果、政治がよく行われて国家が安定していることをいう。「野」は民間、「遺賢」は世に認められず、取り残されている有能な人材のこと。

闇夜《やみよ》に烏《からす》、雪《ゆき》に鷺《さぎ》
真っ暗な夜の闇の中に黒い烏がいても、また一面の雪景色の中に白い鷺がいても、ともに識別しにくいことから、見分けがつかないことのたとえ。

幽谷《ゆうこく》より出《い》でて喬木《きょうぼく》に遷《うつ》る
春になると、深山の鳥が暗い谷間から出て高い木に飛び移る意より、学徳や地位が上昇することのたとえ。

弓《ゆみ》は袋《ふくろ》に太刀《たち》は鞘《さや》
天下が穏やかで、武力を振るう必要がないこと。太平の世であることのたとえ。類弓は袋を出(いだ)さず

葦《よし》の髄《ずい》から天井《てんじょう》を覗《のぞ》く
狭い見識で大きな問題を論じたり、勝手な判断をすることのたとえ。類針の穴から天を覗く／管を以て天を窺う

ら

洛陽《らくよう》の紙価《しか》を高《たか》める
著書が世の人々に賞賛され、売れ行きがよいことのたとえ。晋の左思(さし)が「三都賦(さんとのふ)」を作ったとき、これを書写する人が多く、洛陽の紙の価格が高騰したという故事より。

理屈《りくつ》と膏薬《こうやく》はどこにでもつく
膏薬が体のどこにでもつけられるように、どんなことにももっともらしい理屈をつけることは可能であるということ。

柳下恵《りゅうかけい》は飴《あめ》を見《み》て老人《ろうじん》を養《やしな》う物《もの》とし、盗跖《とうせき》は錠《じょう》を開《あ》くるに良《よ》き物《もの》とす
同じ飴を見ても、柳下恵（古代中国の賢者）はお年寄りにあげれば喜ぶだろうと思い、盗跖（古代中国の大盗賊）は盗みに入るときに使える良い道具になると考える。同じものを見ても、その人の品性によって見方は変わるものだというたとえ。

竜《りゅう》の髭《ひげ》を撫《な》で虎《とら》の尾《お》を踏《ふ》む
大きな危険を冒すことのたとえ。類薄氷を履む

良禽《りょうきん》は木《き》を択《えら》ぶ
賢い鳥が木を選んで巣を作るように、賢い人物は自分が仕える主人をよく品定めして仕官するものであるということ。

瑠璃《るり》の光《ひかり》も磨《みが》きがら
どんなに優れた素質や才能を持っていたとしても、学問に励み修養を積まなければ、立派な人間にはなれないというたとえ。類玉磨かざれば光なし

わ

山葵《わさび》と浄瑠璃《じょうるり》は泣《な》いて賞《ほ》める
山葵は涙が出るほど辛いものが上質であり、浄瑠璃も観客を泣かせるくらいの上手でなければ褒めたたえるわけにはいかないということ。

常用漢字の表外読み

準1級の「表外の読み」の問題では、訓読みのものが中心に出題されます。そこで訓読みの中で読み方の種類の多いものや間違えやすいものを選び、読み方を掲げました。赤字は送りがなを表します。

漢字	表外読み
哀	かなしい (例)哀しい声 かなしむ
愛	いとしい (例)愛し子 かなしい おしむ めでる まな (例)愛娘
扱	こく しごく
案	つくえ かんがえる
暗	やみ そらんじる (例)漢詩を暗んじる
委	まかせる くわしい おく すてる

漢字	表外読み
異	あやしい
意	こころ (例)意を尽くす おもう
維	これ つなぐ
遺	のこす のこる わすれる (例)遺れ形見 すてる
閲	けみする (例)公文書を閲する へる
円	まどか つぶらか (例)円かな瞳
宴	うたげ (例)宴の席 たのしむ
援	ひく たすける

漢字	表外読み
遠	おち (例)遠近
縁	へり よる えにし ゆかり
凹	へこむ へこます くぼむ
殴	うつ たたく
横	よこたわる あふれる
憶	おもう おぼえる
音	たより (例)故郷からの音り
恩	めぐみ (例)太陽の恩み
穏	やすらか

漢字	表外読み
温	ぬくい ぬるい ぬくめる ぬくまる たずねる つつむ
仮	かす
何	いずく いずれ
果	くだもの おおせる (例)隠し果せる
荷	はす になう
華	しろい
過	とが よぎる
寡	すくない やもめ (例)寡暮らし
稼	みのり うえる

漢字	表外読み
課	はかる / こころみる / わりあてる
芽	めぐむ
賀	よろこぶ
介	すけ / たすける
会	あつまる / あつめる
拐	かたる / かどわかす / (例) こどもを拐す
解	さとる / わかる / ほどく / ほどける / ほぐれる
壊	やぶる / やぶれる
懐	いだく / おもう
括	くくる / くびる / くびれる
轄	くさび / とりしまる
刊	けずる / きざむ
甘	うまい / (例) 甘い言葉
完	まっとうする
患	うれえる / (例) 国を患える / うれい
寒	いやしい / まずしい / さびしい
款	まこと / たたく / しるす / よろこぶ
間	しずか / ひそかに / うかがう / はざま / あい
管	ふえ / つかさどる
監	かんがみる / みる / しらべる
簡	ふだ / えらぶ / つづましい / (例) 簡しやかに述べる
岸	かどだつ
危	ただす / たかい
希	まれ / こいねがう
奇	くし / (例) 奇しき縁 / めずらしい / あやしい
帰	とつぐ / おくる
規	のり / ただす
幾	きざし / こいねがう / ほとんど
揮	ふるう / (例) 腕を揮う
期	とき / ちぎる / きめる
宜	よろしく…べし / よろしい / (例) 指導の宜しきを得る / よい
戯	ざれる / たわける
擬	なぞらえる / はかる / まがい / もどき / (例) 芝居擬の口調
議	はかる
喫	くう / のむ / すう
却	しりぞく / しりぞける / (例) 要求を却ける / かえって
逆	むかえる / あらかじめ
虐	むごい
休	さいわい / よい / いこう / やめる
糾	ただす / (例) 罪を糾す / あざなう
拒	ふせぐ
挙	こぞる / こぞって
距	けづめ / ふせぐ / へだてる
緊	かたい / しめる / ちぢむ / (例) 肝が緊む / きびしい

漢字	表外読み
具	つぶさに そなえる そなわる そろい
空	あな うろ うつろ むなしい すく
偶	たぐい たまたま ひとがた
係	つなぐ かかわる
啓	ひらく もうす
経	たていと おさめる
傾	かたげる かしぐ くつがえる
慶	よろこぶ よい
芸	うえる わざ
建	くつがえす
倹	つづまやか (例) 倹やかな生活

漢字	表外読み
軒	くるま てすり たかい とぶ
献	たてまつる ささげる (例) 神前に花を献げる
原	もと たずねる ゆるす
厳	いかめしい (例) 厳しい表情
孤	みなしご ひとり そむく
語	ことば つげる
工	わざ たくみ (例) 飛驒の工 たくむ
交	こもごも (例) 悲喜交
行	みち しぬ
抗	あらがう ふせぐ はりあう こばむ

漢字	表外読み
攻	おさめる みがく
効	ならう いたす
拘	とどめる とらえる かかわる こだわる
肯	がえんじる うなずく うべなう (例) 快く肯う あえて
候	うかがう さぶらう まつ
校	かせ かんがえる くらべる あぜ (例) 校倉造り
控	つげる
項	うなじ (例) 項を垂れる
斎	ものいみ つつしむ いつく (例) 斎きの神 とき

漢字	表外読み
削	そぐ はつる (例) 木の皮を削る
索	つな なわ もとめる さがす
錯	まじる あやまる おく
殺	そぐ そげる けずる
擦	こする なする (例) 罪を擦る さする かすれる
惨	いたむ いたましい (例) 惨ましい姿 むごい
賛	たすける たたえる ほめる
残	そこなう
私	ひそか

刺	とげ そしる なふだ
祉	さいわい
歯	よわい (例) 九十を歯する老女
嗣	つぐ (例) 家を嗣ぐ
詩	うた
諮	とう (例) 部下に諮う
字	はぐくむ あざな
次	やどる ついず
侍	さぶらう はべる
滋	しげる ます
疾	やまい やむ にくむ はやい
射	うつ あてる (例) 的に射てる さす
斜	はす (例) 斜に見る

謝	ことわる さる
釈	とく とかす ゆるす おく
首	はじめ (例) 春の首め かしら もうす
樹	うえる たてる き
秋	とき
修	かざる ながい
集	すだく (例) 虫が集く たかる
縦	はなつ ゆるす ゆるめる ほしいまま (例) 縦に振る舞う
抄	かすめる うつす すく すくう
肖	にる かたどる あやかる

尚	くわえる とうとぶ たっとぶ なお
祥	さち さいわい きざし
渉	わたる (例) 川を渉る かかわる
上	ほとり たてまつる
冗	むだ
状	かたち かきつけ
剰	あまる あます あまつさえ
譲	せめる (例) 罪を譲める
嘱	たのむ
辱	はじ (例) 辱を忍ぶ はずかしめ かたじけない
侵	みにくい
寝	みたまや やめる みにくい

審	つまびらか
親	みずから
迅	はやい はげしい
崇	たかい たっとぶ とうとぶ あがめる (例) 先祖を崇める おわる
生	いのち うぶ なる なす
斉	ととのえる ひとしい ものいみ おごそか
精	しらげる (例) 玄米を精げる くわしい もののけ
籍	ふみ しく ふむ
雪	すすぐ そそぐ (例) 汚名を雪ぐ
絶	はなはだ わたる

漢字	表外読み
戦	おののく そよぐ
薦	こも しきりに
鮮	あたらしい すくない
禅	ゆずる
阻	けわしい (例) 阻しい山道 へだたる
措	おく はからう
騒	うれい
息	やすむ (例) 体を息める
属	やから つく したやく
卒	しもべ にわかに おえる おわる
率	わりあい したがう かしら
単	ひとつ ひとえ (例) 単のきもの

漢字	表外読み
誕	うまれる いつわる ほしいまま
稚	わかい いとけない
秩	ついで ふち
沖	むなしい とぶ
抽	ひく ぬく
兆	うらない (例) 吉凶の兆い
調	やわらぐ みつぎ あざける
陳	のべる つらねる ふるい
定	きまる
抵	あたる ふれる (例) 規則に抵れる さからう
訂	ただす さだめる
逓	たがいに かわる

漢字	表外読み
泥	なずむ (例) 暮れ泥む
適	ゆく かなう たまたま
敵	あだ かなう
迭	たがいに かわる
哲	さとい あきらか
徹	とおる つらぬく (例) 志を徹く
撤	すてる
展	つらねる のべる
転	まろぶ (例) こけつ転びつ うたた うつる
田	かる かり
塗	どろ まみれる みち (例) 塗に従う

漢字	表外読み
度	はかる めもり のり わたる (例) 川を度る
討	たずねる
統	すじ おさめる (例) 国を統める
騰	あがる のぼる
洞	つらぬく ふかい うつろ
忍	むごい
熱	ほてる (例) 体が熱る
念	おもう
濃	こまやか (例) 愛情濃やか
派	わかれる つかわす
排	おしのける つらねる
薄	せまる すすき (例) 薄が風に揺れる

漢字	表外読み
美	よい ほめる
匹	たぐう いやしい
評	はかる あげつらう
賓	まろうど したがう
怖	おじける おそれる
負	たのむ　㈷ 自らを負む そむく
服	きる きもの したがう のむ
紛	みだれる
弁	わける わきまえる はなびら
便	くつろぐ ついで いばり へつらう
暴	あらい うつ にわか さらす あらわす
綿	つらなる こまかい
茂	すぐれる
遊	すさび すさぶ
優	わざおぎ やわらぐ ゆたか まさる
予	かねて あらかじめ
幼	いとけない　㈷ 幼いみどりご
要	もとめる
容	かたち いれる ゆるす
庸	もちいる つね おろか なんぞ
擁	いだく だく まもる　㈷ 幼君を擁る
絡	まとう つなぐ
濫	みだれる みだりに うかべる
利	よい するどい　㈷ 利い刃物 とし
理	すじ ことわり おさめる
略	おさめる はかる はかりごと ほぼ はぶく おかす　㈷ 国境を略す
了	おわる しまう さとる　㈷ 意を了る
累	しばる かさなる かさねる しきりに わずらわす　㈷ 人手を累わす
礼	のり うやまう　㈷ 師を礼う
零	おちる ふる あまり ちいさい こぼれる
廉	しらべる いさぎよい　㈷ 態度が廉い やすい かど
錬	ねる　㈷ 技を錬る
労	はたらく つかれる ねぎらう　㈷ 老妻を労う いたわる
朗	あきらか たからか
論	あげつらう とく
和	あえる　㈷ 野菜をごまで和える なぐ
腕	かいな　㈷ 腕を返す

部首索引

1級、準1級で出題される漢字に使われる部首を、画数順に掲載しました。各部首の下には部首名と、191ページから始まる準1級配当漢字表での掲載ページを載せました。

（← 部首 ／ ← 部首名 ／ ← 掲載ページ）

部首	読み	ページ
土	つち・つちへん・どへん	P.193
士	さむらい	P.194
夂	ち	—
夊	すいにょう	—
夕	た・ゆうべ	P.194
大	だい	P.194
女	おんな・おんなへん	P.194
子	こ・こへん	P.194
宀	うかんむり	P.194
寸	すん	—
小	しょう	P.194
尢	だいのまげあし	P.194
尸	かばね・しかばね	P.194
屮	てつ	—
山	やま・やまへん	P.194
巛 川	かわ・まげかわ	—
工	え・たくみ・たくみへん	—
己	おのれ	P.195
巾	はば・はばへん・きんべん	P.195
干	かん・いちじゅう	—
幺	よう・いとがしら	—
广	まだれ	P.195
廴	えんにょう・いんにょう	P.195
廾	こまぬき・にじゅうあし	—
弋	しきがまえ	—
弓	ゆみ・ゆみへん	P.195
⺕ 彑 ⺔	けいがしら	—
彡	さんづくり	P.195
彳	ぎょうにんべん	P.195
忄	りっしんべん	P.195
扌	てへん	P.196
氵	さんずい	P.199
犭	けものへん	P.200
艹	くさかんむり・そうこう	P.204
辶	しんにょう・しんにゅう	P.207
阝	おおざと	P.208
阝	こざとへん	P.209

四画

部首	読み	ページ
心 ⺗	こころ・したごころ	P.195
戈	ほこ・ほこづくり・ほこがまえ	P.196
戸	と・とだれ・とかんむり	—
手	て	P.196
支	し・しにょう・えだにょう	—

部首	名称	ページ
攴 攵	のぶん ぼくづくり	P.196
文	ぶん ぶんにょう	P.196
斗	とます	P.197
斤	きん おのづくり	P.197
方	ほう ほうへん かたへん	P.197
无	なし ぶ すでのつくり	—
日	ひ ひへん にちへん	P.197
曰	ひらび いわく	P.197
月	つき つきへん	P.197
木	き きへん	P.197
欠	あくび かける	P.199

部首	名称	ページ
止	とめる とめへん	P.199
歹	かばねへん いちたへん がつへん	P.199
殳	るまた ほこづくり	P.199
毋	なかれ はは のかん	—
比	ならびひ くらべる	P.199
毛	け	—
氏	うじ	—
气	きがまえ	—
水	みず	P.199
火	ひ ひへん	P.200
灬	れんが れっか	P.200

部首	名称	ページ
爪	つめ	—
爫	つめかんむり つめがしら	—
爪	そうにょう	—
父	ちち	P.200
爻	まじわる	P.200
爿	しょうへん	—
片	かた かたへん	P.200
牙	きば きばへん	—
牛	うし うしへん	P.200
犬	いぬ	P.200
王	おう おうへん たまへん	P.201

部首	名称	ページ
ネ	しめすへん	P.202
耂	おいかんむり おいがしら	—
月	にくづき	P.204
艹	くさかんむり そうこう	P.204
辶	しんにょう しんにゅう	P.207

五画

部首	名称	ページ
氺	したみず	P.199
玄	げん	—
玉	たま	P.201
瓜	うり	P.201
瓦	かわら	P.201

部首	読み	ページ
色	いろ	—
艸	くさかんむり そうこう	P.204
虍	とらがしら とらかんむり	—
虫	むし むしへん	P.206
血	ち	—
行	ぎょう ぎょうがまえ ゆきがまえ	—
衣	ころも	P.206
西襾	おおいかんむり にし	—

七画

部首	読み	ページ
臣	しん	P.204
見	みる	P.207
角	かく つの つのへん	—
言	げん ごんべん	P.207
谷	たに たにへん	—
豆	まめ まめへん	—
豕	ぶた いのこ	—
豸	むじなへん	P.207
貝	かい こがい かいへん	P.207
赤	あか	P.207
走	はしる そうにょう	P.207
足	あし あしへん	P.207
身	み みへん	P.207
車	くるま くるまへん	P.207
辛	からい	—
辰	しんのたつ	P.207
辵	しんにょう しんにゅう	P.207
邑	おおざと	P.208
酉	ひよみのとり こよみのとり とりへん	P.208
釆	のごめ のごめへん	—
里	さと さとへん	—
麦	ばくにょう	P.211

八画

部首	読み	ページ
金	かね かねへん	P.208
長	ながい	—
門	もん もんがまえ	P.209
阜	こざとへん	P.209
隶	れいづくり	—
隹	ふるとり	P.209
雨	あめ あめかんむり あまかんむり	P.209
青靑	あお	—
非	あらず ひ	—
食	しょくへん	P.209
斉	せい	—

九画

部首	読み	ページ
面	めん	—
革	かくのかわ つくりがわ かわへん	P.209
韋	なめしがわ	—
韭	にら	—
音	おと	—
頁	おおがい	P.209
風	かぜ	—
飛	とぶ	—
食飠	しょく しょくへん	P.209
首	くび	—
香	か かおり	P.209

十画

部首	読み	ページ
馬	うま うまへん	P.209
骨	ほね ほねへん	—
高	たかい	—
髟	かみがしら かみかんむり	P.210
鬥	とうがまえ たたかいがまえ	—
鬯	ちょう	—
鬲	かなえ	—
鬼	おに きにょう	P.210
竜	りゅう	—

十一画

部首	読み	ページ
魚	うお うおへん さかなへん	P.210
鳥	とり とりへん	P.210
鹵	しお	P.210
鹿	しか	P.210
麦	ばくにょう	P.211
麻	あさ あさかんむり	P.211
黄	き	—
黒	くろ	P.211
亀	かめ	—

十二画

部首	読み	ページ
黃	き	—
黍	きび	P.211
黑	くろ	P.211
黹	ふつへん	—
歯	は はへん	—

十三画

部首	読み	ページ
黽	べんあし	—
鼎	かなえ	P.211
鼓	つづみ	—
鼠	ねずみ ねずみへん	P.211

十四画

部首	読み	ページ
鼻	はな はなへん	—

齊	せい	—
十五画		
齒	は / はへん	—
十六画		
龍	りゅう	—
龜	かめ	—
十七画		
龠	やく	—

準1級配当漢字表

準1級配当漢字を部首別に掲載しました。
＊＝「デザイン差」として許容される字形があるもの。
●＝国字
赤字は送りがなを表します。

部首	一		ノ				乚乙	二
漢字	丑	丞	乃	之	乍	乎	也	云
許容字体								
音読み	チュウ	ショウ ジョウ	ダイ ナイ	シ	サ	コ	ヤ	ウン
訓読み	うし	たすける	の すなわち なんじ	これ この の ゆく	たちまち ながら	か や を かな	なり や か また	いう

部首	二			亠				𠆢亻人	
漢字	亙	亘	些	亥	亦	亨	亮	仇	什
許容字体									
音読み	コウ	コウ セン	サ	ガイ	エキ	キョウ コウ ホウ	リョウ	キュウ	ジュウ
訓読み	わたる	わたる	いささか すこし	い	また	とおる にる	あきらか すけ	かたき あだ つれあい	とお

部首	𠆢亻人								
漢字	仔	伊	伍	伽	佃	佑	伶	侃	佼
許容字体									
音読み	シ	イ	ゴ	カ ガ キャ	テン デン	ウ ユウ	レイ	カン	コウ
訓読み	たえる こまか こ	かれ これ ただ	くみ いつつ	とぎ	たがやす つくだ かり	たすける たすけ	さかしい わざおぎ	つよい	うつくしい

部首	𠆢亻人								
漢字	俄	俠	俣●	倭	俱	倦	倖	偓	偲
許容字体		侠			＊	倦			
音読み	ガ	キョウ		ワイ	ク グ	ケン	コウ	アク	シ
訓読み	にわか にわか	おとこだて きゃん	また	やまと	ともに	うむ あきる あぐむ つかれる	さいわい へつらう	かかわる	しのぶ

部首	漢字	異体字	音読み	訓読み
ヘイ人	傭		ヨウ	やとう
	僑		キョウ	やどる かりずまい
	僻		ヘキ ヘイ	かたよる ひがむ ひめがき
	儘		ジン	ことごとく まま
	儲	儲	チョ	そえ もうける たくわえる
儿	允		イン	まこと まことに ゆるす じょう
	兇		キョウ	わるい おそれる
	兎	兔 兔 *	ト	うさぎ
	兜		トウ ト	かぶと
ハ八	其		キ	その それ
冫	冴	*	ゴ	さえる

部首	漢字	異体字	音読み	訓読み
冫	凋	凋	チョウ	しぼむ
	凌		リョウ	しのぐ
几	凧•			たこ
	凪•			なぎ なぐ
	凰		オウ コウ	おおとり
	凱		カイ ガイ	かちどき やわらぐ
凵	函	凾	カン	いれる はこ よろい
刂刀	剃		テイ	そる
	劃		カク	わかつ くぎる
	劉		リュウ	ころす つらねる
力	劫		キョウ コウ ゴウ	おびやかす かすめる

部首	漢字	異体字	音読み	訓読み
勹	勺		シャク	
	勿		モチ ブツ	なかれ
	匁			もんめ め
匕	匙		シ	さじ
匚	匡		キョウ	ただす すくう
	匪		ヒ	わるもの あらず
十	廿		ジュウ	にじゅう
卜	卜		ホク ボク	うらなう うらない
	卦		カ ケ	うらなう うらない
㔾卩	叩		コウ	たたく はたく ひかえる
	卯		ボウ	う

部首	漢字	異体字	音読み	訓読み
㔾卩	卿	卿 卿	ケイ キョウ	きみ くげ
厂	厭		エン オン ヨウ	おさえる いとう あきる いや
	厩	厩 廐 * 廏	キュウ	うまや
	厨	廚	チュウ ズ	くりや はこ
又	叉★		サ シャ	また さす こまねく こまぬく
	叛	叛	ハン ホン	そむく はなれる
	叡		エイ	かしこい
	叢		ソウ	くさむら むらがる
口	叶		キョウ	かなう
	只		シ	ただ
	吃		キツ	どもる くう すう

部首	漢字	異体字	音読み	訓読み
口	吊		チョウ	つる つるす
口	吋		スン トウ	インチ
口	吾		ゴ	われ わが
口	呑	*	トン ドン	のむ
口	吠		ハイ バイ	ほえる
口	吻		フン	くちさき くちびる
口	呆		ホウ ボウ タイ	あきれる おろか
口	咒		呪の異体字	
口	咳		カイ ガイ	せき せく しわぶき しわぶく
口	哉		サイ	かな や か
口	哨	哨	ショウ	みはり
口	哩		リ	マイル
口	啄		タク トク	ついばむ
口	啞	唖	ア アク	ああ わらう
口	啐		サイ ソツ	なめる なきごえ
口	喬		キョウ	たかい おごる
口	喧		ケン	かまびすしい やかましい
口	喋		チョウ	しゃべる ふむ
口	喰●	*		くらう くう
口	嘉		カ	よい よみする
口	嘗		ショウ ジョウ	なめる かつて こころみる
口	嘩	*	カ	かまびすしい
口	嘘	嘘	キョ	ふく はく すすりなく うそ
口	噌	噌	ソウ ソ	かまびすしい
口	噂	噂	ソン	うわさ
口	噺●			はなし
口	噸●			トン
口	嚙	噛	ゴウ	かむ かじる
口	嚢	囊	ノウ ドウ	ふくろ
囗	圃		ホ	はた はたけ
土	坐		ザ	すわる いながら そぞろに います おわす まします
土	圭		ケイ	たま かどだつ
土	坤		コン	つち ひつじさる
土	坦		タン	たいら
土	尭		ギョウ	たかい
土	垢		コウ ク	あか よごれる けがれる はじ
土	埴		ショク	はに
土	埠		フ	つか はとば
土	埜		野の異体字	
土	堰		エン	せき いせき せく
土	堵	堵	ト	かき
土	堺		カイ	さかい
土	塙		カク コウ	かたい はなわ

土	塘	塘	トウ	つつみ
	塵		ジン	ちり
	壕		ゴウ	ほり
士	壬		ジン ニン	みずのえ おもねる
	壺	壷	コ	つぼ
夕	夙		シュク	つとに はやい まだき
大	夷		イ	たいらか たいらげる ころす うずくまる おごる えびす えみし
	奄		エン	おおう ふさがる たちまち
	套		トウ	かさねる おおい
女	妓		ギ	わざおぎ あそびめ こ

女	姑		コ	しゅうとめ しゅうと おんな しばらく
	妾		ショウ	めしつかい めかけ わらわ
	姐		ソ シャ	あね あねご ねえ
	娃		ア アイ	うつくしい
	姦		カン	よこしま みだら かしましい
	姪		テツ	めい
	姥		ボ モ	うば ばば
	姶		オウ	みめよい
	娩	娩	ベン	うむ うつくしい
	娼		ショウ	あそびめ
	婁		ル ロウ	つなぐ つながれる

女	嬉		キ	たのしむ うれしい あそぶ
	嬰		エイ	めぐる ふれる あかご
	嬬		ジュ	つま よわい
子	孟		モウ ボウ マン	はじめ
宀	宏		コウ	ひろい おおきい
	宋		ソウ	
	宍		ジク ニク	しし
	宕		トウ	ほしいまま ほらあな
	宥		ユウ	ゆるす なだめる
	寅		イン	つつしむ とら
	寓		グ グウ	よせる やどる かりずまい かこつける

宀	寵		チョウ	めぐむ めぐみ いつくしむ
小	尖		セン	とがる するどい さき
尢	尤		ユウ	とがめる もっとも すぐれる
尸	屍		シ	しかばね かばね
	屑	屑	セツ	いさぎよい くず
	屢	屡	ル	しばしば
山	岨		ソ	そば そばだつ
	岱		タイ	
	峨	峩	ガ	けわしい
	峻		シュン	たかい けわしい おおきい きびしい
	峯		ホウ	みね やま

部首	漢字	異体字	音読み	訓読み
山	崕		崖の異体字	
山	嵩		シュウ スウ	かさ かさむ たかい
山	嵯	嵳	サ	けわしい
山	嶋		トウ	しま
山	嶺		リョウ レイ	みね
山	巖		ガン	けわしい いわ いわお がけ
己	巳		シ	み
己	巴		ハ	うずまき ともえ
己	巷	巷	コウ	ちまた
己	巽		ソン	たつみ ゆずる
巾	匝	帀	ソウ	めぐる

部首	漢字	異体字	音読み	訓読み
巾	帖		チョウ ジョウ	かきもの たれる やすめる
巾	幌		コウ	ほろ
巾	幡		ハン マン ホン	はた のぼり ひるがえる
广	庄		ショウ ソウ	いなか むらざと
广	庇		ヒ	ひさし かばう
广	庚		コウ	かのえ とし
广	庖	庖	ホウ	くりや
广	庵		アン	いおり
广	廓		カク	ひろい ひろげる むなしい くるわ
广	廠	廠	ショウ	かりや うまや しごとば
广	廟	*	ビョウ	たまや みたまや おもてごてん やしろ

部首	漢字	異体字	音読み	訓読み
廴	廻		カイ エ	まわす まわる めぐる めぐらす
弓	弘		コウ グ	ひろい ひろめる
弓	弗		フツ ホツ	ドル …ず
弓	弛		シ チ	たるむ ゆるむ たゆむ
弓	弼		ヒツ	たすける たすけ
弓	彊		キョウ	つよい つとめる しいる
彡	彦		ゲン	ひこ
彡	彪		ヒュウ ヒョウ	あや まだら
彡	彬		ヒン	あきらか そなわる
彳	徽	徽	キ	よい しるし
小忄心	忽		コツ	ゆるがせ たちまち

部首	漢字	異体字	音読み	訓読み
小忄心	怯		キョウ コウ	おびえる おじる ひるむ
小忄心	怜		レイ	さとい
小忄心	恢	*	カイ	おおきい ひろい
小忄心	恰		カッ コウ	あたかも
小忄心	恕		ショ ジョ	おもいやる ゆるす
小忄心	悉		シツ	つくす ことごとく つぶさに
小忄心	悌		ダイ テイ	やわらぐ
小忄心	惟		イ ユイ	おもう これ ただ
小忄心	惚		コツ	ほれる ほうける ぼける とぼける
小忄心	惣		ソウ	すべて
小忄心	惇		ジュン トン	あつい まこと

小忄心						戈			
悶	惹	愈	慧	慾	憐	戊	戎	或	戟
		愈			*				
モン	ジャク ジャ	ユ	ケイ エ	ヨク	レン	ボ ボウ	ジュウ	ワク	ケキ ゲキ
もだえる	ひく まねく	いよいよ いえる いやす	さとい かしこい	ほっする	あわれむ あわれみ	つちのえ	えびす いくさ おおきい おおい つわもの	ある あるいは	ほこ

扌手										
托	扮	按	挺	捌	挽	掩	掬	捲	捷	捺
			*		挽			捲		
タク	ハン フン	アン	テイ チョウ	ハチ ハツ ベツ	バン	エン	キク	ケン	ショウ	ダツ ナツ
おす おく たのむ	よそおう かざる	おさえる かんがえる しらべる	ぬく ぬきんでる	さばく さばける はける はかす	ひく	おおう かばう たちまち	すくう むすぶ	まく まくる めくる いさむ	かつ はやい	おす

扌手									
捧	掠	揃	揖	搔	摑	摺	摸	撰	撒
		揃		掻	掴	摺		撰	
ホウ	リャク リョウ	セン	ユウ シュウ	ソウ	カク	ショウ ロウ	モ バク ボ	セン サン	サツ サン
ささげる かかえる	かすめる かする かすれる さらう むちうつ	そろう そろえる そろい	ゆずる へりくだる あつまる	かく	つかむ	たたむ ひだ する くじく	さぐる うつす	えらぶ	まく

扌手							攴攵		文	
撞	撚	播	撫	擢	擾	攪	孜	敦	斐	斌
				擢		撹				
トウ ドウ シュ	デン ネン	ハ バン	フ ブ	タク テキ	ジョウ	コウ カク	シ	トン	ヒ	ヒン
つく	ひねる よる より	まく しく さすらう	なでる	ぬく ぬきんでる	ならす みだれる わずらわしい さわぐ	みだす まぜる	つとめる	あつい とうとぶ	あや	うるわしい

斗	斤		方	日						
斡	斧	斯	於	旭	昂	昏	昌	晃	晋	晒
アツ カン	フ	シ	オ	キョク	コウ ゴウ	コン	ショウ	コウ	シン	サイ
めぐる つかさどる	おの	この これ かく かかる	おいて おける	あさひ	たかぶる あがる たかい	くれ くらい くらむ	さかん うつくしい みだれる	あきらか ひかる	すすむ	さらす

日					曰		月		木	
晦	智	暢	曙	曝	曳	沓	朋	朔	杏	杖
晦										
カイ	チ	チョウ	ショ	バク ホク	エイ	トウ	ホウ	サク	キョウ アン	ジョウ
みそか つごもり くらい くらます	ちえ さとい	のびる とおる のべる	あけぼの	さらす さらける さらばえる	ひく	かさなる むさぼる くつ	とも なかま	ついたち きた	あんず	つえ

木										
杜	杓	李	杢●	杭	杵	枇	杷	柑	柴	柘
	杓									
ト ズ	シャク ヒョウ	リ		コウ	ショ	ヒ ビ	ハ	カン	サイ	シャ
とじる ふさぐ やまなし もり	ひしゃく しゃくう	すもも おさめる	もく	わたる くい	きね	さじ くし	さらい	みかん こうじ	しば まつり ふさぐ	やまぐわ つげ

木										
柊	柁	柏	柚	栂●	柾●	桓	桔	桂	栴	桐
柊										
シュウ	タ ダ	ハク ビャク	ユ ユウ			カン	キツ ケツ	ケイ	セン	ドウ トウ
ひいらぎ	かじ	かしわ	ゆず	とが つが	まさ まさき			かつら		きり こと

木

漢字	異体	音	訓
栗		リツ リ	くり おののく きびしい
栖		サイ セイ	すむ すみか
梧		ゴ	あおぎり
梱		コン	こり こうり しきみ
梓		シ	あずさ はんぎ だいく
梢		ショウ	こずえ かじ
梯		タイ テイ	はしご
桶		トウ	おけ
梶		ビ	かじ こずえ
梁		リョウ	はり うつばり はし やな
棲		セイ	すむ すみか

木

漢字	異体	音	訓
棉		メン	わた
椋		リョウ	むく
椀		ワン	はち
椙●			すぎ
椛●			もみじ
楳		バイ	うめ
楢	楢	シュウ ユウ	なら
楯		ジュン	たて
楚		ソ	いばら しもと むち すわえ
椿		チン	つばき
楠		ナン	くすのき

木

漢字	異体	音	訓
楓		フウ	かえで
楊		ヨウ	やなぎ
椴		タン ダン	とど とどまつ
榎		カ	えのき
榛		シン	はしばみ はり くさむら
槍		ソウ	やり
槌	槌	ツイ	つち うつ
槙		シン テン	まき
樺		カ	かば
榊●	榊		さかき
槻		キ	つき

木

漢字	異体	音	訓
樟★		ショウ	くす くすのき
樗		チョ	おうち
樋	樋	トウ	ひ とい
樫●			かし
橘		キツ	たちばな
樵		ショウ ゾウ	きこり こる きこる
橡		ショウ	とち くぬぎ つるばみ
樽	樽	ソン	たる
楕	橢	ダ	こばんがた
檜	桧	カイ	ひのき ひ
橿		キョウ	かし

木	檎		キン ゴ	
	檀		タン ダン	まゆみ
	檮	梼	トウ	きりかぶ おろか
	櫛	櫛 櫛	シツ	くし くしけずる
	櫓		ロ	おおだて やぐら
	欝		鬱の異体字	
欠	欣		キン ゴン	よろこぶ
	欽		キン	つつしむ うやまう
	歎	歎	タン	たたえる なげく
止	此		シ	この これ かく ここ
	歪		ワイ	ゆがむ いがむ ひずむ いびつ

歹	殆		タイ	ほとんど あやうい ほとほと
殳	毅		キ	つよい たけし
比	毘★	毗	ヒ ビ	たすける
水氵氺	汀		テイ	みぎわ なぎさ
	汝		ジョ	なんじ
	汐		セキ	しお うしお
	汲	汲	キュウ	くむ ひく
	沌		トン	ふさがる
	沫		マツ	あわ しぶき よだれ
	洩		エイ セツ	のびる もれる
	洲		シュウ	す しま

水氵氺	洛		ラク	みやこ つらなる
	浩		コウ	おおきい ひろい おおい おごる
	浬		リ	かいり ノット
	涌		ヨウ ユウ	わく
	淵	渕	エン	ふち ふかい おくぶかい
	淳		ジュン	あつい すなお
	渚		ショ	なぎさ みぎわ
	淀		テン デン	よど よどむ
	淘		トウ	よなげる
	淋		リン	そそぐ したたる さびしい りんびょう
	渥		アク	あつい うるおい こい

水氵氺	渠	*	キョ	みぞ おおきい かしら・かれ なんぞ
	湘		ショウ	
	湊		ソウ	みなと あつまる
	湛		タン チン	たたえる あつい しずむ ふかい ふける
	溢	溢	イツ	あふれる すぎる おごる みちる こぼれる
	溜		リュウ	したたる たまる ためる ため
	溯		遡の異体字	
	漑	漑 *	カイ ガイ	そそぐ すすぐ
	漕		ソウ	はこぶ こぐ

部首	漢字	異体字	音読み	訓読み
氺氵水	漣	漣	レン	さざなみ
	漉		ロク	こす したたらせる すく
	澗	澗	カン ケン	たに たにみず
	潑	溌	ハツ	そそぐ はねる
	澱		テン デン	おり よどむ よど
	濠		ゴウ	ほり
	濡		ジュ	うるおう ぬれる とどこおる こらえる
	濤	涛	トウ	なみ
	瀆	涜	トク	みぞ けがす あなどる
	瀦	潴	チョ	みずたまり たまる
	瀕	瀕	ヒン	みぎわ せまる そう

部首	漢字	異体字	音読み	訓読み
氺氵水	瀞	瀞	ジョウ セイ	とろ
	灌	潅	カン	そそぐ
	灘	灘	ダン タン	はやせ なだ
灬火	灸		キュウ	やいと
	灼	*	シャク	やく あきらか やいと
	烏		ウ オ	からす くろい いずくんぞ なんぞ
	烹		ホウ	にる
	焰	焔	エン	もえる ほのお
	焚		フン	やく たく
	煤		バイ	すす すすける
	煉	煉	レン	ねる

部首	漢字	異体字	音読み	訓読み
灬火	煽	煽	セン	あおる おだてる おこる あおり
	熔	鎔	ヨウ	いがた とかす とける いる
	燕		エン	つばめ さかもり くつろぐ
	燐	*	リン	
	燦		サン	あきらか あざやか きらめく
	燭		ショク ソク	ともしび
父	爺		ヤ	じじ おやじ
爻	爾		ジ ニ	なんじ その
片	牌	牌	ハイ	ふだ
	牒		チョウ ジョウ	ふだ
牛	牝		ヒン	め めす

部首	漢字	異体字	音読み	訓読み
牛	牟		ボウ ム	なく むさぼる かぶと
	牡		ボ ボウ	お おす
	牢		ロウ	いけにえ ごちそう ひとや かたい さびしい
	牽		ケン	ひく つらなる
	犀		サイ セイ	たかい するどい
犭犬	狐	狐	コ	きつね
	狗		ク コウ	いぬ
	狛		ハク	こま こまいぬ
	狸		リ	たぬき ねこ
	狼		ロウ	おおかみ みだれる

部首	漢字	許容字体	音読み	訓読み
犭犬	狽		バイ	
	猪		チョ	い　いのしし
	猷	猷	ユウ	はかる　はかりごと　みち
	獅		シ	しし
王玉	玖		キュウ　ク	
	珂		カ	
	珊	＊珊	サン	
	玲		レイ	
	珪		ケイ	たま
	琉		リュウ　ル	
	琢		タク	みがく

部首	漢字	許容字体	音読み	訓読み
王玉	瑛		エイ	
	琵		ビ	
	琶		ハ	
	琳		リン	
	瑚		コ　ゴ	
	瑞		ズイ	しるし　めでたい　みず
	瑳		サ	みがく
瓜瓜	瓜	瓜	カ	うり
	瓢	瓢	ヒョウ	ふくべ　ひさご
瓦	甑	甑	ソウ	こしき
甘	甜		テン	あまい　うまい

部首	漢字	許容字体	音読み	訓読み
生	甥		ショウ　セイ	おい
用	甫		ホ　フ	はじめ　おおきい
田	畠●			はた　はたけ
	畦		ケイ	うね　あぜ
	畢	＊	ヒツ	おわる　ことごとく
	畷		テツ	なわて
疋	疋		ショ　ソ　ヒツ	あし　ひき
	疏	疏	ショ　ソ	とおす　とおる　うとい　うとむ　おろそか　あらい　まばら　ふみ
疒	疹		シン	はしか
	痔		ジ	しもがさ

部首	漢字	許容字体	音読み	訓読み
疒	癌		ガン	
白	皐	皋	コウ	さわ　さつき
皿	盃		ハイ	さかずき
	盈		エイ	みちる　あまる
目	瞥	瞥	ベツ	みる
矢	矧		シン	はぐ
	矩		ク	さしがね　のり
石	砦		サイ	とりで
	砥		シ	と　といし　とぐ　みがく
	砧		チン	きぬた
	硯		ケン　ゲン	すずり

部首	漢字	異体	音	訓
石	硲●			はざま
	碍		ガイ・ゲ	さまたげる・ささえる
	碓		タイ	うす
	碇		テイ	いかり
	碗	盌	ワン	こばち
	碧		ヘキ	みどり・あお
	碩		セキ	おおきい
	磐		ハン・バン	いわ・わだかまる
	磯		キ	いそ
	礪	砺	レイ	あらと・とぐ・みがく
	礦	砿	コウ	あらがね

部首	漢字	異体	音	訓
ネ礻示	祁	祁	キ	おおいに・おおきい・さかんに
	祇	祇	ギ	くにつかみ
	祐		ユウ	たすけ・たすける
	禄		ロク	さいわい・ふち
	禎		テイ	さいわい
	禦		ギョ	ふせぐ・つよい
	禱	祷	トウ	いのる・まつる
	禰	祢	デイ・ネ	みたまや・かたしろ
内	禽		キン	とり・とらえる・いけどり
禾	禾		カ	いね・のぎ
	禿		トク	はげ・はげる・ちびる・かむろ

部首	漢字	異体	音	訓
禾	秤	秤	ショウ・ビン	はかり
	秦		シン	はた
	稀		キ・ケ	まれ・まばら・うすい
	稔		ジン・ニン・ネン	みのる・とし・つむ
	稗	*	ハイ	ひえ・こまかい
	稜		リョウ・ロウ	かど・いきおい
	穎	頴	エイ	ほさき・すぐれる
	穆		ボク・モク	やわらぐ
	穣		ジョウ	ゆたか・みのる
	穐	穐	シュウ	あき・とき
穴	穿	*	セン	うがつ・はく・つらぬく・ほじる・ほじくる

部首	漢字	異体	音	訓
穴	窄		サク	せまい・せばまる・すぼむ・つぼむ
	窪		ワ・ア	くぼ・くぼむ
	窺		キ	うかがう・のぞく
	竈	竃 竈	ソウ	かまど・へっつい
立	竪	豎	ジュ	たつ・たて・こども・こもの
	竣		シュン	おわる
	靖		セイ	やすい・やすんじる
竹	竺		トク・ジク	あつい
	竿		カン	さお・ふだ
	笈	*	キュウ	おい
	笥		シ・ス	け・はこ

竹	笠		リュウ	かさ
	笹●			ささ
	筈		カツ	やはず はず
	筑	＊	チク ツク	
	筏		ハツ バツ	いかだ
	箕		キ	み ちりとり
	箔		ハク	すだれ のべがね
	箭	箭	セン	や
	篇	＊	ヘン	ふだ ふみ まき
	篦	篦	ヘイ	へら すきぐし かんざし の
	篠	篠	ショウ	しの

竹	簞	箪	タン	わりご はこ ひさご
	簸		ハ	ひる あおる
	簾	簾	レン	す すだれ
	篭		籠の異体字	
米	粁●			キロメートル
	粂●			くめ
	籾●	籾		もみ
	粍●			ミリメートル
	粕		ハク	かす
	粥		シュク イク	かゆ ひさぐ
	粟		ショク ソク ゾク	もみ あわ ふち

米	糊		コ	のり くちすぎ
	糎●			センチメートル
	糠		コウ	ぬか
	糟		ソウ	かす
	糞		フン	くそ けがれ はらう つちかう
糸	紘		コウ	おおづな ひろい
	紗		サ シャ	うすぎぬ
	紐		ジュウ チュウ	ひも
	絃		ゲン	いと つる
	紬		チュウ	つむぎ つむぐ
	絢		ケン	あや

糸	綬		ジュ	ひも くみひも
	綜		ソウ	すべる おさ まじえる
	綴		テイ テツ	つづる とじる あつめる
	緋		ヒ	あか
	綾		リョウ リン	あや
	緬		ベン メン	はるか とおい
	縞	★	コウ	しろぎぬ しま
	繫	繋	ケイ	つなぐ つながる かかる とらえる きずな
	繡	繍	シュウ	ぬいとり にしき うつくしい
	纂		サン	あつめる くみひも つぐ

部首	漢字	異体字	音読み	訓読み
糸	纏	纒 纏	テン	まとう まつわる まとめる まつる まとい
罒网	罫		ケイ	
羽	翠	翠	スイ	かわせみ みどり
	翫	翫	ガン	もてあそぶ あじわう あなどる むさぼる
	翰	翰	カン	ふで・ふみ てがみ とぶ・みき
	耀	耀	ヨウ	かがやく
而	而		ジ	しかして しかれども しかも しかるに なんじ
耳	耽		タン	ふける おくぶかい
	聡		ソウ	さとい

部首	漢字	異体字	音読み	訓読み
耳	聯	聯	レン	つらなる つらねる
	聾		ロウ	
聿	肇		チョウ	はじめる はじめ
月肉	肋		ロク	あばら
	肴		コウ	さかな
	肱		コウ	ひじ
	胤		イン	たね
	胡		コ ゴ ウ	あごひげ えびす なんぞ でたらめ ながいき みだり いずくんぞ
	脆	脆	セイ ゼイ	もろい よわい やわらかい かるい
	腔	腔	クウ コウ	から からだ

部首	漢字	異体字	音読み	訓読み
月肉	脹		チョウ	ふくれる はれる ふくよか
	膏		コウ	あぶら こえる うるおす めぐむ
	腿	腿	タイ	もも
	膿		ドウ ノウ	うみ うむ
臣	臥		ガ	ふす ふしど
舌	舘		カン	やかた たて たち
舛	舛	*	セン	そむく あやまる いりまじる
	舜	*	シュン	むくげ
舟	舵		タ ダ	かじ
艮	艮		コン ゴン	うしとら
艹艹艸	苅		ガイ	かる

部首	漢字	異体字	音読み	訓読み
艹艹艸	芥		カイ ケ	からし あくた ちいさい
	芹		キン	せり
	芭		ハ バ	
	芙		フ	はす
	苑		エン オン ウツ	その ふさがる
	茄		カ	はす なす なすび
	苫		セン	とま むしろ
	苒	苒	ゼン	
	苔		タイ	こけ
	苧		チョ	からむし お
	茅		ボウ	かや ちがや

艹 艹 艸

漢字	異体字	音読み	訓読み
苓		レイ リョウ	みみなぐさ
荊	荆	ケイ	いばら むち
茸		ジョウ	しげる ふくろづの たけ きのこ
荏		ジン ニン	え やわらか
茜		セン	あかね
莞		カン	い むしろ
荻		テキ	おぎ
莫		ボ バク マク モ	くれ ない なかれ さびしい
菅		カン	すげ すが
菰	菰	コ	こも まこも
菖		ショウ	しょうぶ

艹 艹 艸

漢字	異体字	音読み	訓読み
菟	*菟 菟 菟	ト	うさぎ
菩		ホ ボ	
萌	萠	ボウ ホウ	めばえ めぐむ きざす もえる もやし たみ
萊	莱	ライ	あかざ あれち
菱		リョウ	ひし
萄		トウ ドウ	
葦	*	イ	あし よし
葵		キ	あおい
萱		カン ケン	かや わすれぐさ
韮	韭	キュウ	にら

艹 艹 艸

漢字	異体字	音読み	訓読み
萩		シュウ	はぎ
葺		シュウ	ふく つくろう
葱		ソウ	ねぎ き あおい
董		トウ	ただす とりしまる
葡		ホ ブ	
葎		リツ	むぐら
葢		蓋の異体字	
蓑		サ サイ	みの
蒜		サン	ひる にんにく
蒔		シ ジ	うえる まく
蒐		シュウ	あつめる かり

艹 艹 艸

漢字	異体字	音読み	訓読み
蒼		ソウ	あお あおい しげる ふるびる あわただしい
蒲		ホ ブ フ	がま かわやなぎ むしろ
蒙		ボウ モウ	おおう こうむる くらい おさない
蓉		ヨウ	
蓮		レン	はす はちす
蔭		イン	かげ おかげ おおう しげる
蔚		ウツ イ	
蔣	蒋	ショウ	まこも
蔦		チョウ	つた
蔓		バン マン	つる はびこる からむ

艹艹艸									
蓬	蔀	蕎	蕨	蕉	蕊	蕃	蕩	蕪	薙
蓬					蘂 蕋				
ホウ	ホウ ブ	キョウ	ケツ	ショウ	ズイ	バン ハン	トウ	ブ ム	テイ チ
よもぎ	しとみ おおい		わらび		しべ	しげる ふえる まがき えびす	うごく とろける のびやか ほしいまま みだす はらう あらう	あれる しげる みだれる かぶら	なぐ かる そる

艹艹艸									虫	
蕗	薗	薩	薯	藁	藪	藷	蘇	蘭	虻	蚤
		薩	薯		薮	藷			蝱 *	
ロ	エン オン	サツ	ショ ジョ	コウ	ソウ	ショ	ソ ス	ラン	ボウ モウ	ソウ
ふき	その		いも	わら	さわ やぶ	いも さとうきび	ふさ よみがえる	ふじばかま あららぎ	あぶ	のみ はやい つめ

虫										
蛋	蛙	蛤	蛭	蛛	蜎	蛾	蛸	蜘	蝦	蝕
							蛸			蝕
タン	ア ワ	コウ	シツ テツ	チュ チュウ シュ	ケン	ガ ギ	ショウ	チ	カ ガ	ショク
あま えびす たまご	かえる みだら	はまぐり	ひる	くも	うつくしい	まゆげ あり	たこ	くも	えび がま	むしばむ

虫								衤衣		
蝶	螺	蟬	蟹	蟻	蠅	蠣	蠟	衿	袈	袷
		蝉	蠏		蠅 蝿	蛎	蝋			
チョウ	ラ	セン ゼン	カイ	ギ	ヨウ	レイ	ロウ	キン	ケ	コウ
	つぶ にし にな ほらがい	せみ うつくしい つづく	かに	あり くろ くろい	はえ	かき		えり		あわせ

部首	衤衣					見	言				
漢字	袴	裡	裟	裳	襖	覗	訊	訣	詑	註	詫
許容字体					襖					*	
音読み	コ	リ	サ	ショウ	オウ	シ	シン ジン	ケツ	タ	チュウ	タ
訓読み	はかま ももひき	うら うち		も もすそ	わたいれ ふすま あお	うかがう のぞく	たずねる とう きく たより	わかれる おくぎ	あざむく	ときあかす	わびる ほこる わび

部首	言										豸
漢字	誼	諏	誹	諒	謂	諫	諺	諜	謬	讃	豹
許容字体						諌	諺		謬	讚	豹
音読み	ギ	シュ ス	ヒ	リョウ	イ	カン	ゲン	チョウ	ビュウ	サン	ヒョウ
訓読み	よい すじみち よしみ	はかる とう	そしる	まこと おもいやる さとる	いう いわれ いい	いさめる	ことわざ	うかがう さぐる しめす ふだ	あやまる	ほめる たたえる たすける	

部首	貝				赤	走	足			身
漢字	貰	賑	賤	贋	赫	趨	跨	蹄	蹟	軀
許容字体			賎					*		躯
音読み	セイ	シン	セン ゼン	ガン	カク	スウ ソク シュ	コ	テイ	セキ シャク	ク
訓読み	もらう かりる ゆるす	ほどこす にぎわう にぎやか	やすい いやしい あやしい いやしめる しず	にせ	あかい さかん かがやく あつい	はしる おもむく はやい うながす	またぐ またがる よる また	ひづめ わな	あと	からだ むくろ

部首	車						辰	辶辶辵		
漢字	輔	輿	輯	轍	轟	轡	辰	辻●	迂	迄
許容字体								辻	迂	迄
音読み	ホ フ	ヨ	シュウ	テツ	ゴウ	ヒ	シン		ウ	キツ
訓読み	たすける すけ	こし くるま のせる おおい めしつかい はじめ	あつめる やわらぐ	わだち あとかた のり	とどろく おおいに	たづな くつわ	たつ ひ とき	つじ	まがる うとい とおい	いたる およぶ まで

部首	漢字	異体字	音	訓
辶辶辵	辿	辿	テン	たどる
	迦	迦	カ	
	迺	廼 迺	ダイ ナイ	なんじ すなわち の
	這	這	シャ	この これ はう
	逗	逗	トウ ズ	とどまる くぎり
	逢	逢	ホウ	あう むかえる おおきい ゆたか
	遁	遁	トン シュン ジュン	のがれる しりごみする
	逼	逼	ヒツ ヒョク	せまる
	遥		ヨウ	さまよう はるか とおい ながい
	遼		リョウ	はるか
阝邑	邑		ユウ オウ	むら みやこ くに うれえる

部首	漢字	異体字	音	訓
阝邑	郁		イク	かぐわしい さかん
	耶		ヤ	か
	鄭	鄭	ジョウ テイ	ねんごろ
酉	酉		ユウ	とり ひよみのとり
	酋	酋	シュウ	おさ かしら
	醇		シュン ジュン	もっぱら あつい
	醍		ダイ テイ	
	醐		コ ゴ	
	醤	醬	ショウ	ししびしお ひしお
	醗	醱	ハツ	かもす
金	釘		チョウ テイ	くぎ

部首	漢字	異体字	音	訓
金	釦		コウ	かざる ボタン
	釧		セン	うでわ くしろ
	鈷		コ	
	鉤	鈎	ク コウ	かぎ つりばり かける おびどめ まがる
	鉦		セイ ショウ	かね
	銑		セン	ずく
	鉾		ボウ ム	ほこ きっさき
	銚		チョウ ヨウ	なべ すき とくり
	鋪		ホ	しく みせ
	鋤		ショ ジョ	すき すく

部首	漢字	異体字	音	訓
金	鋒		ホウ	ほこさき きっさき ほこ さきがけ
	鋲●		ビョウ	
	鋸		キョ	のこぎり のこ
	錘		スイ	つむ おもり
	錐		スイ	きり するどい
	錆	錆	ショウ セイ	さび さびる
	錫		シャク セキ シ	すず つえ たまもの
	鍔		ガク	つば
	鍬		ショウ シュウ	すき くわ
	鍾		ショウ	さかずき あつめる つりがね
	鍍		ト	めっき

部首	漢字	異体字	音読み	訓読み
金	錨		ビョウ	いかり
	鎧		カイ ガイ	よろい よろう
	鎗		ショウ ソウ	やり
	鎚	鎚	タイ ツイ	つち かなづち
	鏑		テキ	やじり かぶら かぶらや
	鐙		トウ	たかつき あぶみ
	鐸		タク	すず
	鑓●	鑓		やり
門	閃		セン	ひらめく
	閏		ジュン	うるう
	閤		コウ	くぐりど へや たかどの

部首	漢字	異体字	音読み	訓読み
阝阜	阿		ア	くま よる おもねる ひさし お
	陀		ダ タ	
	隈		ワイ	くま すみ
	隙	隙の異体字		
隹	隼		シュン ジュン	はやぶさ
	雀		ジャク	すずめ
	雁	鴈	ガン	かり
	雛		スウ ス	ひな ひよこ
雨	雫●		ダ	しずく
	霞		カ	かすみ かすむ

部首	漢字	異体字	音読み	訓読み
革	靱	靭 韌	ジン	しなやか
	鞄	鞄	ホウ	かばん なめしがわ
	鞍		アン	くら
	鞘	鞘	ショウ	さや
	鞠		キク	まり やしなう とりしらべる かがむ
	鞭		ヘン ベン	むち むちうつ
	韃	韃	タツ ダツ	むち むちうつ
頁	頁		ケツ ヨウ	かしら ページ
	頗		ハ	かたよる すこぶる
	頸	頸	ケイ	くび
	顛	顛	テン	いただき たおれる くつがえる

部首	漢字	異体字	音読み	訓読み
食 飠 𩙿	飴	飴	イ	あめ
	餐		サン	くう のむ たべもの
	饗	饗 ＊	キョウ	あえ もてなす うける
香	馨		キョウ ケイ	かおり かおる
馬	馴		シュン ジュン クン	なれる ならす すなお よい おしえ
	馳		ジ チ	はせる
	駁		バク ハク	まだら ぶち なじる まじる
	駈		ク	かける かる
	駕		ガ	のる のりもの あつかう しのぐ
	駿		シュン スン	すぐれる

馬	驒	騨	タン タ ダ	
髟	髭		シ	くちひげ ひげ
鬼	魁		カイ	かしら さきがけ おおきい おさ
魚	魯		ロ	おろか
	鮎		デン ネン	あゆ
	鮒		フ	ふな
	鮪		イ ユウ	まぐろ しび
	鮭		ケイ カイ	さけ さかな
	鮫		コウ	さめ
	鯉		リ	こい てがみ
	鯖	鯖	ショウ セイ	さば よせなべ

魚	鯛		チョウ トウ	たい
	鰍		シュウ	どじょう いなだ かじか
	鰐		ガク	わに
	鰭		キ	ひれ はた
	鰯●	鰯		いわし
	鰹		ケン	かつお
	鰺	鯵	ソウ	あじ
	鰻		バン マン	うなぎ
	鱈●	鱈	セツ	たら
	鱒	鱒	ソン ゾン	ます
	鱗	*	リン	うろこ

鳥	鳩		キュウ ク	はと あつめる あつまる やすんずる
	鳶		エン	とび とんび
	鳳		ブウ ホウ	おおとり
	鴇		ホウ	のがん とき
	鴛		エン	おしどり
	鴨		オウ	かも
	鴦		オウ	おしどり
	鴫●			しぎ
	鴻		コウ	おおとり おおきい
	鵠	*	コウ コク	くぐい しろい まと ただしい おおきい

鳥	鵜		テイ	う
	鵡		ブ ム	
	鵬		ホウ	おおとり
	鶯	鴬	オウ	うぐいす
	鷗	鴎	オウ	かもめ
	鷲		シュウ ジュ	わし
	鷹		ヨウ オウ	たか
	鷺		ロ	さぎ
	鸚		オウ イン	
鹵	鹼	鹸	ケン	しおけ あく
鹿	麒		キ	きりん

部首	漢字	異体字	音読み	訓読み
鹿	麟	*	リン	きりん
麦麥	麴	麹	キク	こうじ さけ
	麪		麵(麺の旧字体)の異体字	
麻麻	麿●			まろ
黍	黍		ショ	きび
黒黒	黛		タイ	まゆずみ かきまゆ まゆ
鼎	鼎		テイ	かなえ まさに
鼠	鼠		ソ ショ ス	ねずみ

●出題される可能性の高い常用漢字

部首	漢字	異体字	音読み	訓読み
丶	丼		(タン)(トン)	どんぶり どん
亻	傲		ゴウ	(おごる あなどる あそぶ)
刂	刹		セツ サツ	(てら)
口	哺		ホ	ふくむ はぐくむ
	喩	喻	ユ	(たとえる さとす やわらぐ よろこぶ)
	嗅	嗅	キュウ	かぐ
	嘲	嘲	チョウ(トウ)	あざける (からかう)
彑	彙		イ	(はりねずみ あつめる たぐい)
心	恣		シ	(ほしいまま)

部首	漢字	異体字	音読み	訓読み
忄	惧	惧	グ(ク)	(おそれる)
	慄		リツ	(おそれる おののく)
	憬		ケイ	(あこがれる)
扌	拉		ラ ラツ ロウ	(くじく ひしぐ ひしゃげる ひく)
手	摯		シ	(とる にえ まこと あらい)
日	曖		アイ	(くらい おおう かげる)
木	楷		カイ	(のり のっとる)
殳	毀		キ	(こぼつ やぶる やぶれる そしる やせる)
玉	璧		ヘキ	(たま)
疒	瘍		ヨウ	(かさ できもの)

部首	漢字	異体字	音読み	訓読み
竹	箋	箋	セン	(ふだ はりふだ なふだ ときあかし てがみ かきもの)
糸	緻		チ	(こまかい くわしい)
羊	羞		シュウ	(すすめる そなえもの はじる はずかしめる はじ はずかしめ)
言	訃		フ	(つげる しらせ)
	諧		カイ	(かなう ととのう やわらぐ たわむれ)
貝	貪		ドン(タン)	(むさぼる よくばり)
⻊	踪		ソウ(シュウ)	(あと あしあと ゆくえ)
辛	辣		ラツ	(からい きびしい むごい すごい)
金	錮		コ	(ふさぐ とじこめる かたい ながわずらい)

※平成23年度まで1級の新出漢字だった28字は、24年度以降2級の配当漢字となりましたが、準1級の出題対象ともなりました。なお、( )が付いた読みは1級用の表外読みです。

国字

準1級に属する国字を掲載しました。「読み」などの問題に出題されることがありますので、よく確認しておきましょう。赤字は送りがなです。

部首	漢字	読み
イ	俣	また
几	凧	たこ
几	凪	なぎ・なぐ
勹	匁	もんめ・め
口	喰	くう くらう
口	噺	はなし
口	噸	トン
木	杢	もく

部首	漢字	読み
木	栂	とが つが
木	柾	まさ まさき
木	椙	すぎ
木	椛	もみじ
木	榊	さかき
木	樫	かし
田	畠	はた はたけ
石	硲	はざま
竹	笹	ささ

部首	漢字	読み
米	粂	くめ
米	籾	もみ
米	粁	キロメートル
米	糎	センチメートル
米	粍	ミリメートル
辶	辻	つじ
金	鋲	ビョウ
金	鑓	やり
雨	雫	ダ しずく

部首	漢字	読み
魚	鰯	いわし
魚	鱈	セツ たら
鳥	鴫	しぎ
麻	麿	まろ

常用漢字表内

部首	漢字	読み
イ	働	ドウ はたらく
勹	匂	におう
山	峠	とうげ
田	畑	はた はたけ
辶	込	こむ こめる
土	塀	ヘイ
木	枠	わく
木	栃	とち
扌	搾	サク しぼる
月	腺	セン すじ

第1回 模擬試験問題 解答

別冊 2〜7ページ

1

1 ひんぴん 2 しんえん 3 しし 4 けんどう
5 あいえつ 6 きょうりん 7 きゃら
8 ゆうぶつ 9 だいじょうえ 10 おうなつ
11 かんかん 12 こうとう 13 てっとう 14 ぼうし
15 てきか・てっか 16 てっしょ 17 おうご
18 げいぎ 19 ひんば 20 れんじん 21 はざま
22 あさぎ 23 おり 24 すぎ 25 あらたか
26 あや 27 ひおうぎ 28 くつ 29 よみ 30 しか

2

1 こもかぶ 2 さか 3 もろもろ 4 なず
5 あげつら 6 あまつさ 7 ことほ 8 いとぐち
9 なんなん 10 こぞ

3

1 しゅうおく 2 ふ 3 あくさい 4 うるお
5 きゅうごう 6 あつ 7 がんろ 8 おろ
9 きかん 10 のぞ

4

1 雲 2 曲 3 世 4 望 5 疑

5

1 梱包 2 斡旋 3 天秤 4 柑橘
5 僻 6 尾鰭 7 雨樋 8 扮装
9 億劫 10 大袈裟 11 宥 12 捌 13 歪
14 湛 15 薙 16 姑息 17 倦 18 鵜
19 蛭 20 蒜

6

1 処・緒 2 初・曙 3 陣・塵
4 概・骸 5 功・好

7

問1
1 鳩首 2 猪突 3 甜言 4 牽強
5 規矩 6 坦懐 7 一閃 8 落雁
9 阿世 10 遼遠

問2
1 とかく 2 しょり 3 たくしょう
4 てんよう 5 しんし

8

1 充溢 2 退嬰 3 抜錨 4 末梢
5 偏頗(陂) 6 顛末 7 逗留 8 旦夕
9 股肱 10 忽然

9

1 糟糠 2 鳳凰 3 鞘 4 苛政
5 蓬莱 6 蟻穴 7 轍鮒 8 浩然
9 喬木 10 暖簾

10

1 緒言 2 悉(尽・儘・畢) 3 祇園
4 寂滅 5 殆(幾)
ア ののし イ やそ ウ よう エ ごじん
オ れいさい カ す キ けいべん ク わず
ケ まま コ ひそ

第2回 模擬試験問題 解答

別冊 8〜13ページ

1

1 かすい　2 いんし　3 こんじく
4 かんそう　5 ぐぜい　6 へいいん　7 すいう
8 ろくさい　9 むげ・むがい　10 そうが
11 こうじ　12 かくど　13 りょうか　14 いい
15 しょきゅう　16 そうはく　17 ほうせん
18 えいだつ　19 せんだつ　20 しどう　21 とらふ
22 また　23 もく　24 かんが　25 むぐら
26 おだまき　27 くま　28 ぬ　29 な　30 いびつ

2

1 しめ　2 こま　3 よ　4 ほとん　5 つづま
6 し　7 つかさど　8 くつろ　9 まみ　10 ちな

3

1 しっかい　2 ことごと　3 しょうび
4 あつ　5 よぼう　6 おお　7 てんゆう
8 たす　9 たんすい　10 たた

4

1 故　2 鬼　3 命　4 脱　5 血

5

1 流暢　2 挺　3 怯　4 凱歌　5 鷲摑
6 位牌　7 鰐　8 瀕死　9 紺碧
10 雌蕊　11 埠頭　12 林檎　13 大腿
14 稜線　15 蛋白　16 惹起　17 拭　18 茸
19 石膏　20 斥候

6

1 概・該　2 閉・弊　3 尺・杓
4 当・套　5 釈・借

7

問1
1 鵬程　2 欣喜　3 啐啄　4 泡沫
5 旭日　6 纏綿　7 竿頭　8 狗盗
9 楚歌　10 痩軀

問2
1 しらん　2 いっせん　3 りんえん
4 けんきょう　5 ぼくせつ

8

1 弛緩　2 瞥見　3 峻拒　4 暗鬱
5 冒瀆　6 未曽有　7 祥瑞　8 抜擢
9 秘訣　10 拘泥

9

1 剝　2 呑舟　3 牡丹餅　4 氷炭
5 鴛鴦　6 死屍　7 蕎麦　8 鸚鵡
9 香餌　10 袈裟

10

1 菩薩　2 伝播　3 覗(窺)　4 殊
5 湖畔
ア ばんしん　イ きょうしゅ　ウ だいじょうえ
エ いか　オ ろんどん　カ むつごと　キ つぶさ
ク はなは　ケ おういつ　コ じょうるり

第3回 模擬試験問題 解答

別冊 14〜19ページ

1

1 ちくろく 2 かいこう 3 しゅんげん 4 しんしょう 5 あいれん 6 るじ 7 けいいいつ 8 しゅちょう 9 かんきょう 10 しゃり 11 じんいん 12 かいとく 13 びょうぎ 14 きょうわ 15 きんぼ 16 きごう 17 かせん 18 りゅうらん 19 ちゅうそ 20 ろうらく 21 あたか 22 ただ 23 はとば 24 もぎ 25 よな 26 さいわ 27 あら 28 しぎや 29 あしび 30 えびね

2

1 そ 2 したが 3 うかが 4 つい 5 ちょうちょう 6 ゆめゆめ 7 うべな 8 よわい 9 くら 10 あや

3

1 えんぴ 2 そし 3 かてい 4 さいわ 5 こうつう 6 とお 7 えんせい 8 いと 9 れいこう 10 みが

4

1 佳 2 跡 3 老 4 案 5 息

5

1 茜 2 篦 3 錯綜 4 立錐 5 藻屑 6 蒲鉾 7 珊瑚礁 8 揺曳 9 木鐸 10 佃煮 11 快哉 12 蠟燭 13 箔 14 圭角 15 黙禱 16 気儘 17 笠 18 嵩 19 莳 20 撒

6

1 好・高 2 功・肱 3 培・煤 4 到・逗 5 範・斑

7

問1

1 長汀 2 鎧袖 3 焚書 4 綾羅 5 玩物 6 怒濤 7 空拳 8 同塵 9 軒昂 10 豹変

問2

1 ろぎょ 2 ふんきん 3 ひょうき 4 ひんぴん 5 えんぴ

8

1 模糊 2 仮寓 3 竣成 4 平坦 5 脆弱 6 所詮 7 倦怠 8 真贋 9 永訣 10 巷間

9

1 鼎 2 乾坤 3 鷺 4 正鵠 5 有卦 6 紙価 7 磯際 8 瓜田 9 釈迦 10 嚢中

10

1 鋳造物 2 麓 3 雀 4 蛤 5 束髪

ア もっ イ せいぜん ウ くまざさ エ かんぼく オ つ カ いっぺき キ うっそう ク ごんさい ケ ところ コ ようや

第4回 模擬試験問題 解答

別冊 20~25ページ

1

1 そうえん
2 ちゅうぼうし
3 かっぽう
4 せいてつ
5 ちょうこく
6 でいそ
7 たんたん
8 さいけい
9 せいすい
10 きんじゅう
11 じきょう
12 りょうあん
13 けつがん
14 へいこ
15 しさん
16 じゅんとう
17 ほしゅう
18 そうてい
19 はろう
20 わぼく
21 みずみず
22 うるお
23 あき
24 さぐ
25 まさめ
26 くろがし
27 くい
28 うばめがし
29 まいわし
30 わらぐつ

2

1 なり
2 ことわり
3 うてな
4 やもめ
5 まる
6 ろく
7 くだり
8 あがな
9 くぐ
10 うち

3

1 るらく・ろうらく
2 つな
3 ゆうぶつ
4 すぐ
5 ひっせい
6 お
7 ひっきょう
8 たす
9 しゅうこう
10 うつく

4

1 衷
2 隆
3 凶
4 更
5 芳

5

1 暗渠
2 灼熱
3 脊椎
4 満腔
5 毅然
6 逼迫
7 石鹸
8 首魁
9 雲霞
10 晩餐
11 唾棄
12 諜報
13 余禄
14 湿疹
15 勢揃
16 化膿
17 閃光
18 専攻
19 弄
20 聾

6

1 甚・靭
2 気・亀
3 拭・葺
4 羅・螺
5 度・堵

7

問1

1 周章
2 狐狸
3 気息
4 獅子
5 膏火
6 燕石
7 鴻毛
8 蒼然
9 夜叉
10 硯田

問2

1 ちくい
2 ちょうよう
3 ません
4 らくがん
5 けんど

8

1 還俗
2 荒蕪
3 敏捷
4 弥縫
5 追従
6 厨房
7 巣窟
8 浮沈
9 畢生
10 寛恕

9

1 蚊虻
2 帰心
3 松柏
4 厭
5 膏薬
6 菩提
7 叢中
8 薬籠
9 塗炭
10 晦朔

10

1 鰻
2 蔵書
3 骨董
4 賑
5 後世

ア ただ
イ いのしし
ウ ふけ
エ しゅうしゅう
オ おか
カ はうた
キ どどいつ
ク まね
ケ そうはく
コ な

第5回 模擬試験問題 解答

別冊 26〜31ページ

1

1 そんよ 2 しゅんきゅう 3 おゆう
4 しゅうばつ 5 ときん 6 ろうこ 7 きよ
8 とれつ 9 かくぜん 10 しはい 11 がいたん
12 しがく 13 さんさん 14 えんてん(えんでん)
15 ちょうも 16 いんとう 17 ちんしょ
18 ようへき 19 ぼうしょく 20 がくかんせつ
21 くじ 22 ち 23 むちう 24 すなわ
25 こばなし 26 もくいと 27 えのきだけ
28 むくどり 29 ほのお 30 あゆく

2

1 むしろ 2 つと 3 くわ 4 いた 5 すすき
6 ほと 7 おど 8 たす 9 かぐわ 10 すべ

3

1 こんとう 2 くら 3 いたん 4 たい
5 かいじゅう 6 くら 7 きくいん 8 すく
9 ぐうい 10 かこつ

4

1 退 2 幽 3 希 4 幸 5 利

5

1 甲斐性 2 通牒 3 把捉 4 早蕨
5 法螺 6 唖然 7 馬蹄 8 醍醐味
9 楕円 10 啓蒙 11 寵児 12 手筈
13 翻弄 14 馴致 15 篠突 16 好好爺
17 等閑 18 投函 19 曙光 20 初更

6

1 掻・書 2 争・綜 3 飾・燭
4 闘・藤 5 解・晦

7

問1
1 阿鼻 2 蚊虻 3 孟母 4 臥薪
5 鱗次 6 地祇 7 一盈 8 撃壌
9 瓦全 10 蒼然

問2
1 かっぱく 2 がいしゅう 3 てんげん
4 ろうばい 5 きんう

8

1 莫大 2 危殆 3 深淵 4 迂路
5 歪曲 6 容貌 7 面妖 8 知悉
9 上梓 10 斡旋

9

1 愁眉 2 良禽 3 憂患 4 竿頭
5 塞翁 6 井蛙 7 駒 8 奇貨
9 全豹 10 盗泉

10

1 短篇(編) 2 籠 3 仇 4 膳部 5 鶯
ア ひそ イ むく ウ さしえ エ げさくしゃ
オ しんがり カ のどか キ すだ
ク なにがし(ぼう) ケ いんぺい コ りし

本試験の答案用紙のサンプル

本試験で配られるB4サイズの答案用紙は、裏まで続いています。

準1級ではすべて記述式となっています。受検する前に一度確認しておきましょう。

表　面

訂正

性別　男　女

生年月日

西暦　　年　　月　　日

※印字されていない場合は、□の中に生年月日を記入。

＜記入例＞
生年月日が2001年(平成13年) 1月1日なら

2001 年 01 月 01 日

西暦

訂正　　年　　月　　日

※生年月日に誤りがある場合、訂正にマークし、▯の中に正しい生年月日を記入。

マーク記入例

○のようにをきれいにぬりつぶしてください。　○　×

ご記入いただきました個人情報は、当協会の検定にかかわる業務にのみ使用します。

（ただし、検定にかかわる業務に際し、業務提携会社に作業を委託する場合があります。）

ご記入いただきました個人情報にかかわるお問い合わせは、下記までお願いします。

（公財）日本漢字能力検定協会　https://www.kanken.or.jp/privacy/

(一) 読み

17	16	15	14	13	12	11	10	9	8	7	6	5	4	3	2	1

(30)
1×30

(三) 熟語の読み・一字訓読み

ウ		イ		ア	
6	5	4	3	2	1

(10)
1×10

(二) 表外の読み

10	9	8	7	6	5	4	3	2	1

(10)
1×10

(五) 書き取り

5	4	3	2	1

(40)
2×20

(四) 共通の漢字

5	4	3	2	1

(10)
2×5

※受検番号、氏名、生年月日などはあらかじめ印字されています。氏名や生年月日に誤りがある場合は訂正欄に記入しましょう。

裏面

(六) 誤字訂正 (10) 2×5

	1	2	3	4	5
誤					
正					

(七) 四字熟語 (30)

問1 書き取り 2×10

1	2

問2 意味と読み 2×5

1	2

(八) 対義語・類義語 (20) 2×10

1	2	3	4	5

(九) 故事・諺 (20) 2×10

1	2	3	4	5

(十) 文章題 (20)

書き取り 2×5

1	2	3	4	5

読み 1×10

ア	イ	ウ	エ	オ

その他の注意点

用紙は折り曲げたり、汚したりしてはいけません。

答えはHB以上の濃い鉛筆またはシャープペンシルで大きくはっきりと書きましょう。答えはすべて答案用紙に記入し、答えが書けなくても必ず提出しましょう。

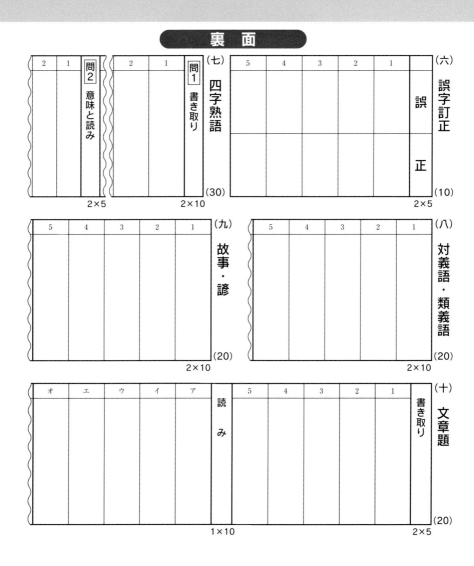

●編者
漢字学習教育推進研究会
大学教授ほか教育関係者、漢字検定１級取得者が中心となり、過去問題を分析、効率的な漢字学習法を研究している。

■お問い合わせについて

- 本書の内容に関するお問い合わせは、**書名・発行年月日を必ず明記**のうえ、文書・ＦＡＸ・メールにて下記にご連絡ください。電話によるお問い合わせは、受け付けておりません。
- 本書の内容を超える質問にはお答えできませんのであらかじめご了承ください。

本書の正誤情報などについてはこちらからご確認ください
(https://www.shin-sei.co.jp/np/seigo.html)

- お問い合わせいただく前に上記アドレスのページにて、すでに掲載されている内容かどうかをご確認ください。
- 本書に関する質問受付は、2026年２月末までとさせていただきます。

●文　書：〒110-0016 東京都台東区台東2-24-10 (株)新星出版社 読者質問係
●ＦＡＸ：03-3831-0902
●メール：https://www.shin-sei.co.jp/np/contact.html

■協会のお問い合わせ窓口
最新の情報は**公益財団法人日本漢字能力検定協会**にご確認ください。

●電話でのお問い合わせ：**0120-509-315（無料）**
●HPアドレス　：**https://www.kanken.or.jp/kanken/contact/**

頻出度順 漢字検定準１級 合格！ 問題集

2024年２月25日　初版発行

編　者　漢字学習教育推進研究会
発行者　富永靖弘
印刷所　今家印刷株式会社

発行所　東京都台東区台東２丁目24　株式会社 新星出版社
〒110-0016 ☎03(3831)0743

2024年度版

別冊

頻出度順

漢字検定準1級 合格！問題集

この別冊は本冊から取り外して使用することができます

※本試験の答案用紙のサンプルは、本冊 218 ページにあります。本試験を受検する前に必ず確認しておきましょう。

新星出版社

第1回 模擬試験問題

試験時間 60分
合格ライン 160点
得点 /200
月 日

1 次の――線の読みをひらがなで記せ。
1～20は**音読み**、21～30は**訓読み**である。

/30 (1×30)

1 斌斌たる学徒の育成を志す。（　　）
2 本殿に朱色の神垣をめぐらす。（　　）
3 孜孜として技術の研鑽《けんさん》を積む。（　　）
4 師の萱堂とは面識がある。（　　）
5 自分の無力さを悔いて哀咽する。（　　）
6 山間に広がる杏林が満開になる。（　　）
7 伽羅を焚いて香りを楽しむ。（　　）
8 祖父の蒐集品は尤物ぞろいだ。（　　）
9 即位式に続き大嘗会が行われた。（　　）
10 書面に実印を押捺する。（　　）
11 侃侃と教育の重要性を訴えた。（　　）

27 檜扇を手にした礼装で現れた。（　　）
28 蹄を守るため馬に沓を履かせる。（　　）
29 老臣の功を嘉し褒賞を与える。（　　）
30 先ず和して而る後に大事を造す。（　　）

2 次の傍線部分は常用漢字である。
その**表外の読み**を**ひらがな**で記せ。

/10 (1×10)

1 正月に地酒の薦被りを奉納する。（　　）
2 賢しらな進言を真に受ける。（　　）
3 諸の事情により延期となった。（　　）
4 古い慣習に泥む人ではない。（　　）
5 発言を論われて失脚する。（　　）
6 雨が強く剰え風まで吹いてきた。（　　）

12 叩頭して神に祈りを捧げる。（　　）
13 鉄桶の守りで身を固める。（　　）
14 茅茨で自給自足の生活を送る。（　　）
15 秋風にそよぐ荻花が美しい。（　　）
16 李白を見習い鉄杵を磨く。（　　）
17 早春の里山に鶯語が響き渡る。（　　）
18 芸妓の舞に宴席が盛り上がる。（　　）
19 有力な牝馬が多く出走する。（　　）
20 錆びた鎌刃を丁寧に研ぐ。（　　）
21 深い硲に農家が点在している。（　　）
22 店先に浅葱の暖簾を掛ける。（　　）
23 悲しみが澱のように残っていた。（　　）
24 参道に椙の大木が立ち並ぶ。（　　）
25 霊験灼と評判の古寺に参拝する。（　　）
26 殆ういところで助けられた。（　　）

7 家族揃って母の米寿を寿ぐ。（　　）
8 話の緒が見つからない。（　　）
9 事件から一年に垂とする。（　　）
10 上下挙って西洋文明に心酔した。（　　）

3 次の**熟語の読み**と、その**語義**にふさわしい**訓読み**を（送りがなに注意して）**ひらがな**で記せ。

／10（1×10）

〈例〉健勝……勝れる → けんしょう / すぐ

ア 1 葺屋（　　）…2 葺く（　　）
イ 3 渥彩（　　）…4 渥う（　　）
ウ 5 鳩合（　　）…6 鳩める（　　）
エ 7 頑魯（　　）…8 魯か（　　）
オ 9 窺管（　　）…10 窺く（　　）

4 次の各組の二文の（　）には**共通**する漢字が入る。その読みを後の□から選び、**常用漢字（一字）**で記せ。

/10 (2×5)

1
凌（1）の気を持って励む。
（1）霞の如き大軍であった。
（　）

2
役人の私（2）が目に余る。
委（2）を尽くして書き綴る。
（　）

3
軽佻《けいちょう》浮薄の経（3）家を戒める。
新たな蓋（3）の雄を待ち望む。
（　）

4
今回の受賞は（4）外の喜びだ。
国民の輿（4）を担って策を施す。
（　）

5
未だ胸中に（5）団が残る。
（5）獄に関わる裁判が続く。
（　）

うん・ぎ・きょく・じ せい・ぞん・ぼう

5 次の傍線部分の**カタカナ**を**漢字**で記せ。

/40 (2×20)

15 身を低くして刀を横に**ナ**いだ。（　）

16 **コソク**な手段をとる性格ではない。（　）

17 **ウ**むことなく学問を追究する。（　）

18 宣伝を**ウ**呑みにはできない。（　）

19 首に山**ビル**が吸い付いていた。（　）

20 河原の土手に野**ビル**が生えている。（　）

6 次の各文にまちがって使われている**同じ読みの漢字**が**一字**ある。**上に誤字**を、**下に正しい漢字**を記せ。

/10 (2×5)

1 某隠蔽事件は僥倖《ぎょうこう》にも匿名の情報提供から解決の端処を掴み得た。（　・　）

2 命の危険が去り初光を見た処で薬も効き始め漸次快復に向かった。（　・　）

3 天賦の才ある兄の後陣を拝し続けてきて自己嫌悪に陥る時もある。（　・　）

4 鎮火後は堅牢な石壁が残るのみで他は無惨な残概となっていた。（　・　）

1 荷物を**コンポウ**して車に積んだ。（　　）
2 就職の**アッセン**を頼まれる。（　　）
3 善と悪とを**テンビン**にかける。（　　）
4 **カンキツ**類の栽培が盛んな地域だ。（　　）
5 彼女への批判は**ヒガ**みに過ぎない。（　　）
6 噂話にはたちまち**オヒレ**が付く。（　　）
7 **アマドイ**に落ち葉が詰まる。（　　）
8 時代劇の**フンソウ**をして練り歩く。（　　）
9 夕飯を作るのも**オックウ**だ。（　　）
10 **オオゲサ**な身振りを交えて話す。（　　）
11 泣いている妹を優しく**ナダ**める。（　　）
12 次々と入る注文を二人で**サバ**く。（　　）
13 実の形が**イビツ**で売り物にならない。（　　）
14 目に涙を**タタ**えて見つめた。（　　）

5 功尚は著しく変遷し、盛行のあと一気に終焉《しゅうえん》を迎えることも多い。（　・　）

7 次の問1と問2の四字熟語について答えよ。

20（2×10）

問1 次の四字熟語の（1～10）に入る適切な語を後の□から選び**漢字二字**で記せ。

（1）凝議　虚心（6）
（2）猛進　紫電（7）
（3）蜜語　沈魚（8）
（4）附会　曲学（9）
（5）準縄　前途（10）

あせい・いっせん・きく・きゅうしゅ
けんきょう・たんかい・ちょとつ・てんげん
らくがん・りょうえん

問2 次の1～5の**解説・意味**にあてはまる四字熟語を後の□から選び、その**傍線部分だけの読み**を**ひらがな**で記せ。

/10
(2×5)

1 現実にあり得ないもののたとえ。（　　）

2 国の滅亡への嘆き。（　　）

3 行動や運命を共にすること。（　　）

4 過ちをうまく取り繕うこと。（　　）

5 ふぞろいな物が入り混じっている様子。（　　）

一蓮托生・円木警枕・参差錯落・兎角亀毛
麦秀黍離・文質彬彬・邑犬群吠・落筆点蠅

8

次の1～5の**対義語**、6～10の**類義語**を後の□の中から選び、**漢字**で記せ。□の中の語は一度だけ使うこと。

/20
(2×10)

対義語

1 枯渇（　　）

2 進取（　　）

類義語

6 経緯（　　）

7 滞在（　　）

---

8 **コウゼン**の気を養う。（　　）

9 幽谷より出でて**キョウボク**に遷る。（　　）

10 **ノレン**に腕押し。（　　）

10

文章中の傍線（1～5）の**カタカナ**を**漢字**に直し、波線（ア～コ）の**漢字の読み**を**ひらがな**で記せ。

/20
(書き2×5)
(読み1×10)

A

没理想の何物なるかは「シエクスピイヤ脚本評註」の**チョゲン**に見えたり。その言にいわく。造化は無心なり。自然は善悪のいずれにも偏りたりとは見えず。もとより意地わるき継母の如きものとも見えねば、慈母とも見えず。さるに数奇失意の人は造化を怨み、自然を憤りて、この世を穢土《えど》と罵り、苦界と詬《そし》るなり。…（中略）…この故に造化の作用を解釈するに、彼《かの》宿命教の旨を以てするも解し得べく、また耶蘇教の旨を以てするも解し得べし。その他老、荘、楊、墨、儒、仏もしくは古今東西の哲学者がおもいおもいの見解も、これを造化にあてはめて、強《あなが》ち当《あた》らざるにあらず、否、造化というものは、これら無数の解釈を**コト**

3 碇泊（　　）
4 中枢（　　）
5 公平（　　）
8 朝暮（　　）
9 腹心（　　）
10 突如（　　）

ここう・こつぜん・じゅういつ・たいえい
たんせき・てんまつ・とうりゅう・ばつびょう
へんぱ・まっしょう

9 次の故事・成語・諺の**カタカナ**の部分を**漢字**で記せ。 ／20 (2×10)

1 饑《う》えたる者は**ソウコウ**を甘んず。（　　）
2 **ホウオウ**群鶏と食を争わず。（　　）
3 弓は袋に太刀は**サヤ**。（　　）
4 **カセイ**は虎よりも猛し。（　　）
5 命長ければ**ホウライ**を見る。（　　）
6 大山も**ギケツ**より崩る。（　　）
7 **テップ**の急。（　　）

ゴトく容《い》れても余《あまり》あるなり。3**ギオン**精舎の鐘の声、浮《ふ》屠《と》氏は聞きて4**ジャクメツ**為楽の響《ひびき》なりというべきが、待宵《まつよい》には情人が何と聞くらん。

（森鷗外「早稲田文学の没理想」より）

B 大抵のイズムはこの点において、実生活上の行為を直接に支配するために作られたる指南車《しなんしゃ》というよりは、エ吾人の知識欲を充たすための統一函である。文章ではなくって字引《じびき》である。

同時に多くのイズムは、オ零砕の類例が、比較的緻密な頭脳に濾過《ろか》されて凝結した時に取る一種の形である。形といわんよりはむしろ輪郭である。中味のないものである。中味をカ棄てて輪郭だけを畳込むのは、天保銭を脊負う代《かわ》りに紙幣を懐《ふところ》にすると同じく小さな人間としてキ軽便だからである。

この意味に於《おい》てイズムは会社の決算報告に比較すべきものである。さらに生徒の学年成績に匹敵すべきものである。ク僅か一行の数字の裏面に、僅か二位の得点の背景に、5**ホトン**ど有《あり》のケ儘には繰返《くりかえ》しがたき、多くのコ時と事と人間と、その人間の努力と悲喜と成敗とが潜んでいる。

（夏目漱石「イズムの功過」より）

第2回 模擬試験問題

試験時間 60分
合格ライン 160点
得点 /200 月 日

1 次の――線の読みをひらがなで記せ。1～20は**音読み**、21～30は**訓読み**である。

/30 (1×30)

1 眼前に黄金色の禾穂が広がる。（　　）
2 甥を胤嗣として迎え入れた。（　　）
3 坤軸を砕くばかりに奔雷が轟く。（　　）
4 日本古典文学の翰藻に触れる。（　　）
5 弘誓の船が悟りの彼岸に導く。（　　）
6 秘仏は丙寅の年に開帳される。（　　）
7 翠雨が青葉を艶やかに潤す。（　　）
8 鹿砦を突破し敵陣に突入した。（　　）
9 人の頼みを無碍には断れない。（　　）
10 悪党どもの爪牙に掛かる。（　　）
11 鉤餌に大物が食いついた。（　　）

27 川の阿には多様な生物がすむ。（　　）
28 老中の命で町奉行に擢かれた。（　　）
29 丘の上から凪いだ海が見える。（　　）
30 歪な組織構造を変革する。（　　）

2 次の傍線部分は常用漢字である。その**表外**の**読み**を**ひらがな**で記せ。

/10 (1×10)

1 岩戸に標が張り巡らしてある。（　　）
2 濃やかな愛情を受けて育つ。（　　）
3 今夜は星が克く見える。（　　）
4 結果には幾ど満足している。（　　）
5 式は約やかに執り行われた。（　　）
6 過去を学ぶに如くはない。（　　）

12 騙《だま》されたと知って赫怒する。（　　　）
13 水面に白い菱花が咲き並ぶ。（　　　）
14 唯々として主命に服する。（　　　）
15 杵臼の交を結び三十年が過ぎる。（　　　）
16 数隻の大型船が湊泊している。（　　　）
17 家事の中でも烹煎を得意とする。（　　　）
18 幼児より穎脱して一目置かれた。（　　　）
19 蟬脱した老僧のような趣だ。（　　　）
20 斯道の大家として知られる。（　　　）
21 道端で虎斑の猫が眠っている。（　　　）
22 木の俣に立って遠くを眺める。（　　　）
23 杢を呼んで離れを普請する。（　　　）
24 稽古とは古を稽えることだ。（　　　）
25 葎の宿に侘《わ》び住まいしている。（　　　）
26 赤い麻糸を巻いて苧環を作る。（　　　）

7 営業の事務一切を掌る。（　　　）
8 読書をしながら寛いでいる。（　　　）
9 将軍に見えて救いを乞う。（　　　）
10 芸名は出身地に因んでいる。（　　　）

3

次の**熟語の読み**と、その**語義**にふさわしい**訓読み**を（送りがなに注意して）**ひらがな**で記せ。

/10 (1×10)

〈例〉健勝……勝れる → けんしょう / すぐ

ア 1 悉皆（　　　）……2 悉く（　　　）
イ 3 鍾美（　　　）……4 鍾める（　　　）
ウ 5 輿望（　　　）……6 輿い（　　　）
エ 7 天佑（　　　）……8 佑ける（　　　）
オ 9 湛水（　　　）……10 湛える（　　　）

15 **タンパク**質の働きを研究する。（　　）
16 些細な誤解が悲劇を**ジャッキ**した。（　　）
17 涙を**フ**きながら笑った。（　　）
18 新しい屋根に**フ**き替える。（　　）
19 部屋に**セッコウ**の胸像がある。（　　）
20 **セッコウ**に敵状を探らせる。（　　）

4

次の各組の二文の（　）には**共通**する漢字が入る。その読みを後の□から選び、**常用漢字（一字）**で記せ。

10 (2×5)

1 （1）買の嫌疑で捕らえられた。／世（1）に長けた敏腕な実務家だ。（　　）
2 両親が続けて（2）籍に入った。／夜逃げして債（2）から逃れる。（　　）
3 手内職で細々と露（3）をつないだ。／昼夜を問わず捜索に奔（3）した。（　　）
4 編集者に（4）稿を急かされる。／（4）兎の如く部屋を飛び出した。（　　）
5 膏（5）を絞って土地を拓く。／（5）路を開いて逃げ走る。（　　）

き・けつ・こ・だっ・てん
む・めい

5

次の傍線部分の**カタカナ**を**漢字**で記せ。

40 (2×20)

6

次の各文にまちがって使われている**同じ読みの漢字**が**一字**ある。**上に誤字**を、**下に正しい漢字**を記せ。

10 (2×5)

1 彼の概博で造詣が深い話に人々は驚嘆し惚れ惚れと聞き入った。（　・　）
2 長きに亘る戦乱で疲閉した民衆から憤怨の声が噴出した。（　・　）
3 猫も尺子も西洋文化に憧憬するような風潮は時に酷く滑稽に映る。（　・　）
4 小説の常当筆法が陳腐だと評されたが若者には新奇だったらしい。（　・　）

1 リュウチョウな日本語で話し掛けられた。（　　）
2 身をテイして仲間を庇う。（　　）
3 脅しにもヒルまず言い返した。（　　）
4 敵将を捕らえガイカをあげた。（　　）
5 恐怖が心臓をワシヅカみにする。（　　）
6 仏壇のイハイに手を合わせる。（　　）
7 動物園でワニを間近に見る。（　　）
8 飢えと渇きでヒンシの状態だった。（　　）
9 コンペキの海と空が広がる。（　　）
10 花の中心にメシベがある。（　　）
11 船の到着をフトウに立って待つ。（　　）
12 頬がリンゴのように赤い。（　　）
13 転倒してダイタイ骨を骨折した。（　　）
14 山のリョウセンに夕日が沈む。（　　）

5 無銭飲食と寸釈詐欺を繰り返した少年は家庭裁判所に送致された。（　・　）

7 次の問1と問2の四字熟語について答えよ。

問1 次の四字熟語の（1～10）に入る適切な語を後の□から選び漢字二字で記せ。

／20 (2×10)

（1）万里	情緒（6）
（2）雀躍	百尺（7）
（3）同時	鶏鳴（8）
（4）夢幻	四面（9）
（5）昇天	長身（10）

かんとう・きょくじつ・きんき・くとう・そうく
そか・そったく・てんめん・ほうてい・ほうまつ

問2 次の1〜5の**解説・意味**にあてはまる四字熟語を後の□から選び、その**傍線部分だけの読み**を**ひらがな**で記せ。

/10 (2×5)

1 優れた人材や子弟。（　　）

2 短い時間で急激に変化すること。（　　）

3 虚しい望みを抱くこと。（　　）

4 自分の都合がよいようにこじつけること。（　　）

5 つまらない物でもおろそかにしないこと。（　　）

芝蘭玉樹・牽強附会・鉤縄規矩・紫電一閃・竹頭木屑・釈根灌枝・邑犬群吠・臨淵羨魚

8 次の1〜5の**対義語**、6〜10の**類義語**を後の□の中から選び、**漢字**で記せ。□の中の語は一度だけ使うこと。

/20 (2×10)

対義語

1 緊張（　　）

2 熟視（　　）

類義語

6 空前（　　）

7 吉兆（　　）

---

8 **オウム**は能く言えども飛鳥を離れず。（　　）

9 **コウジ**の下には必ず死魚あり。（　　）

10 **ケサ**と衣は心に着よ。（　　）

10 文章中の傍線（1〜5）の**カタカナ**を漢字に直し、波線（ア〜コ）の**漢字の読み**をひらがなで記せ。

/20 (書き2×5) (読み1×10)

A

仏教以前に渡った蕃神[ア]は、神に習合せられ、以後は仏・**ボサツ**[1]の仲間入りをした訣《わけ》なので、蛭ノ児を初めとして、稲荷・八幡・松ノ尾・白山など皆、土著の神と思われない性質を備えている。

異客・異物との接触は、必《かなら》ず恐るべき病毒の**デンパ**[2]に終《おわ》った。…（中略）…例えば隣接した部落を**ノゾ**[3]いて見ても、そこに畑の畝《うな》い方・獣の捕《とら》え方などに、驚くべき相違を見る事があったはずである。蝦夷《えみし》・熊襲《くまそ》・隼《はや》人《ひと》・粛慎《みしはせ》・刀伊《とい》などは、皆驚くべき体格と、恐るべき力との記録を残している。征服を被った異郷に対する心持ちは恐怖で、それにうち勝った時は、直《す》ぐさま興味と変じる。東人《あずまど》や隼人が不思議な興趣[イ]を唆《そそ》ったのもこ

3 快諾（　　）
4 明朗（　　）
5 尊崇（　　）
8 登用（　　）
9 要諦（　　）
10 頓着（　　）

あんうつ・こうでい・しかん・しゅんきょ
しょうずい・ばってき・ひけつ・べっけん
ぼうとく・みぞう

9 次の故事・成語・諺の**カタカナ**の部分を**漢字**で記せ。　／20（2×10）

1 化けの皮が**ハ**がれる。（　　）
2 網**ドンシュウ**の魚を漏らす。（　　）
3 開いた口へ**ボタモチ**。（　　）
4 **ヒョウタン**相容れず。（　　）
5 **エンオウ**の契り。（　　）
6 **シシ**に鞭うつ。（　　）
7 **ソバ**の花も一盛り。（　　）

のためである。[ウ]大嘗会に呼び集えられる異人は、皆こうした民族である。[エ]如何に国栖の謡《うた》が面白がられ、隼人のわざおぎが興がられたかを見よ。

（折口信夫「異郷意識の進展」より）

B 「或る青年の告白」と"Memoirs of My Dead Life"——私は[4]**コト**に後者が好きで、或る年の夏箱根の[5]**コハン**であれを読んだ時は、恍惚《こうこつ》として寝食を忘れた。…（中略）…冒頭の[オ]倫敦の春の叙景"Lovers of Orelay"のくだりの恋の[カ]睦言、老年の下宿住まいのわびしい生活、人生の辛酸苦楽[キ]具に備わって万感交《ばんかんこもごも》胸に迫るの思いがする。…（中略）…あの詩人風な人にこんな方面もあるのかと思って、[ク]甚だ意外な感じがした。が、最近に至って出版された二つの歴史小説は、筋は簡単で、結構配置の上に面白味はないけれども、自叙伝と同じく詩趣[ケ]横溢した叙情的気分で、「エロイーズとアベラール」の如き二冊で五百何十ページもあるものを、飽かせずに引き擦って行く。二人が中世紀の巴里《ぱり》の都はリユウ・デ・シャントルからオルレアンへ駈け落ちをする所など、一読三嘆、まるで[コ]浄瑠璃の道行きを聴くようである。

（谷崎潤一郎「饒舌録《じょうぜつろく》（抄）」より）

第3回 模擬試験問題

試験時間 60分
合格ライン 160点
得点 /200
月 日

1

次の――線の読みをひらがなで記せ。
1～20は**音読み**、21～30は**訓読み**である。

/30 (1×30)

1 投票に向けて逐鹿の舌戦が続く。（　　）
2 明治の蟹行文字の作品を読む。（　　）
3 文武両道の俊彦と謳《うた》われる。（　　）
4 忠義は尽くすが臣妾ではない。（　　）
5 同情と哀憐との念を深める。（　　）
6 数年間屢次に渡り折衝を重ねた。（　　）
7 馨逸な酒に出会う。（　　）
8 胃の下部に腫脹が認められる。（　　）
9 妹の為に緩頰の労をとる。（　　）
10 伯父に這裡の近状を伝える。（　　）
11 壬寅は六十年に一度巡ってくる。（　　）

27 精勤にして怠るに匪ず。（　　）
28 父の好物は茄子の鴫焼きだ。（　　）
29 葦火を焚いて暖をとる。（　　）
30 蝦根が紫褐色の花をつける。（　　）

2

次の傍線部分は常用漢字である。
その**表外**の**読み**を**ひらがな**で記せ。

/10 (1×10)

1 話が凝り過ぎて興を殺ぐ。（　　）
2 上官の命令には直ちに遵う。（　　）
3 窓から外の様子を斥っていた。（　　）
4 買い物の序でに図書館へ寄る。（　　）
5 碁石の音が打打と響くばかりだ。（　　）
6 騙されるとは努努思わなかった。（　　）

12 世を嫌い後に晦匿した。（　）
13 廟議にて法が制定される。（　）
14 幕府は公武叶和の方針を掲げた。（　）
15 偉大な英雄に欽慕を抱く。（　）
16 朝廷より大師の徽号を拝受する。（　）
17 弓兵が一斉に火箭を放った。（　）
18 読者の劉覧に供せんとす。（　）
19 三経の註疏を著したとされる。（　）
20 手練を弄して王を籠絡した。（　）
21 宛も被害者のように振る舞う。（　）
22 膝を抱えて惟泣き続けた。（　）
23 明朝には埠に到着する。（　）
24 姫君の裳着の式を行う。（　）
25 川底の砂を淘げて金を探す。（　）
26 日々の暮らしは禄いの内にある。（　）

7 運営の世話役を渋々諾った。（　）
8 既に七十の歯を過ぎている。（　）
9 原文と日本語訳を校べる。（　）
10 異しい人影が目撃される。（　）

3 次の**熟語の読み**と、その**語義**にふさわしい**訓読み**を（送りがなに注意して）**ひらがな**で記せ。 ／10 (1×10)

〈例〉健勝……勝れる → けんしょう ／ すぐ

ア 1 怨誹（　）……2 誹る（　）

イ 3 嘉禎（　）……4 禎い（　）

ウ 5 亨通（　）……6 亨る（　）

エ 7 厭世（　）……8 厭う（　）

オ 9 礪行（　）……10 礪く（　）

4

次の各組の二文の（　）には**共通**する漢字が入る。その読みを後の□から選び、**常用漢字（一字）**で記せ。

/10 (2×5)

1
- 多数の（1）什を残した歌人だ。
- 雅味に富んだ（1）肴を味わう。

2
- 芭蕉の真（2）と鑑定された。
- 平生の不行（2）を意見される。

3
- 宿（3）たちの言を重んじる。
- 病床に（3）残の身を横たえる。

4
- 規模によって経費を（4）分する。
- 成（4）は閣議に付議された。

5
- 気（5）を整えて冷静になる。
- 無意識に長大（5）を漏らす。

あん・か・しゃ・せき・そく へん・ろう

5

次の傍線部分の**カタカナ**を**漢字**で記せ。

/40 (2×20)

15 追悼式で**モクトウ**を捧げる。

16 **キママ**な一人暮らしを楽しむ。

17 権力を**カサ**に着て狼藉《ぜき》を働く。

18 **カサ**に懸かって攻撃を強める。

19 偽りが不信の種を**マ**いた。

20 庭に水を**マ**いて涼を呼ぶ。

6

次の各文にまちがって使われている**同じ読みの漢字**が**一字**ある。**上に誤字**を、**下に正しい漢字**を記せ。

/10 (2×5)

1 旧年中は一方ならぬ御好配に預かり厚く御礼申し上げます。

2 股功の臣と膝を交えて評議を重ね敵の牙城に攻め入る断を下した。

3 客船は出港と同時に煙筒から真っ黒な培煙と火焔を吐き出した。

4 辺境の温泉宿で祖父と肝胆相照らして到留し、心身を癒やした。

1 夕日が**アカネ**色に染まる。（　　）

2 工作用の**ヘラ**で粘土を掘る。（　　）

3 **サクソウ**した情報を一旦整理する。（　　）

4 年始の境内は**リッスイ**の地もない。（　　）

5 輸送船は海の**モクズ**となった。（　　）

6 鱧《はも》を擦り潰して**カマボコ**を作る。（　　）

7 島は**サンゴショウ**に囲まれている。（　　）

8 木漏れ日が**ヨウエイ**している。（　　）

9 社会の**ボクタク**を以て任ずる。（　　）

10 御飯に海苔の**ツクダニ**を混ぜて握る。（　　）

11 合格通知に**カイサイ**を叫んだ。（　　）

12 **ロウソク**を片手に石段を下りる。（　　）

13 大名家に奉公して**ハク**をつける。（　　）

14 **ケイカク**のある性格が敬遠された。（　　）

5 研究の一範に過ぎないが、これ迄の成果を纏めた論文を上梓した。（　　・　　）

7

次の問1と問2の四字熟語について答えよ。

問1 次の四字熟語の（1〜10）に入る適切な語を後の□から選び**漢字二字**で記せ。

／20 (2×10)

（1）曲浦　　疾風（6）

（2）一触　　赤手（7）

（3）坑儒　　和光（8）

（4）錦繡　　意気（9）

（5）喪志　　君子（10）

がいしゅう・がんぶつ・くうけん・けんこう
ちょうてい・どうじん・どとう・ひょうへん
ふんしょ・りょうら

問2 次の1～5の**解説・意味**にあてはまる四字熟語を後の□から選び、その**傍線部分だけの読み**を**ひらがな**で記せ。

／10 (2×5)

1 文字を書き誤ること。（　　）
2 殺風景なこと。風流のないこと。（　　）
3 容姿が美しい女性のこと。（　　）
4 外見の美しさと中身のよさが調和していること。（　　）
5 自然の本性に従って自由に楽しむこと。（　　）

鳶飛魚躍・河山帯礪・氷肌玉骨・百尺竿頭 焚琴煮鶴・文質彬彬・羊頭狗肉・魯魚章草

8

次の1～5の**対義語**、6～10の**類義語**を後の□の中から選び、**漢字**で記せ。□の中の語は一度だけ使うこと。

／20 (2×10)

対義語

1 鮮明（　　）
2 永住（　　）

類義語

6 結局（　　）
7 退屈（　　）

---

9 **シャカ**に宗旨なし。（　　）
10 錐の**ノウチュウ**に処るが若し。（　　）

10

文章中の傍線（1～5）の**カタカナ**を**漢字**に直し、波線（ア～コ）の**漢字の読み**を**ひらがな**で記せ。

／20 (書き2×5)(読み1×10)

A 桜島山、開聞岳を下瞰《かかん》す、頂にいわゆる神代の霊物「天《あめ》ノ瓊矛《ぬぼこ》」立つ、黄銅の[1]**チュウゾウブツ**にして、高さ二尺四寸八分、最上部の幅五寸六分、左右囲むに火山岩石を[ア]以てし上部と東部の二面のみ開く、「瓊矛」の最下部より高さ一尺七寸の所に人物の鼻二個射出す、一は東に面し一は西に面す、即ち一身二面の姿にして耳目鼻口[イ]井然とし、真に奇物たり、霧島神社より絶頂まで二里半と称す、三時間にして輒《すなわ》ち登り得。韓国岳、即ち西霧島山に登らんとせば高千穂岳を下りて栄ノ尾温泉場に到り登ること一時間にして火口に達す、口の周回凡三千米突、深さ凡二十六米突、口内空池にして火力全く熄滅《そくめつ》しいささかも噴煙を認めず、それより[ウ]熊[エ]笹 灌木の間を過《よ》ぎり絶頂に達して四望せん

3 起工（　　）（　　）
4 険阻（　　）（　　）
5 頑丈（　　）（　　）
8 虚実（　　）（　　）
9 死別（　　）（　　）
10 市井（　　）（　　）

えいけつ・かぐう・けんたい・こうかん
しゅんせい・しょせん・しんがん
ぜいじゃく・へいたん・もこ

9 次の故事・成語・諺の**カタカナ**の部分を**漢字**で記せ。　／20（2×10）

1 **カナエ**の軽重を問う。（　　）
2 一擲《いってき》**ケンコン**を賭す。（　　）
3 闇夜に烏、雪に白**サギ**。（　　）
4 **セイコク**を失わず。（　　）
5 **ウケ**に入る。（　　）
6 洛陽の**シカ**を高める。（　　）
7 **イソギワ**で船を破る。（　　）
8 **カデン**に履を納れず。（　　）

か、東に富士山状の夷守岳《ひなもり》、丸岡岳迫り来り、二岳の[2]**フモト**に大畑池、空池、枇杷池の三火口湖あり、東南に矢岳、竜王岳、新燃鉢、中岳を看、三角形なる高千穂の峰尖その上に挺立し噴煙天を[オ]衝くを認む、眼を南に転ぜんか、脚下に大浪池の火口湖あり、水面[カ]一碧琉璃の如く湖畔檜樹[キ]鬱蒼、いよいよ湖面の碧を添う、池の南に焼地獄、砒霜《ひそう》燃《ねん》あり、北には鉾立山、飯盛岳、甑岳各々孤聳《こしょう》し、その間ビヤクチ池、白鳥池、不動池（周回凡二千五百米突）の三火口湖を観る、栄ノ尾より絶頂まで二時間半。（志賀重昂「日本風景論」より）

B　……ここから七、八町離れた田の中にある蛭が小島の旧跡を見ました、寛政二年に建《たっ》た一ツの石碑があります。読者《みなさん》も御存じの通り蛭が小島と申せば、頼《より》朝《とも》の流されたところ、それが今はただの田畠、[3]**スズメ**海中に入って[4]**ハマグリ**となり、新造[5]**ソクハツ**に結って[ク]権妻となるのも無理はありません。半里ばかりの[ケ]処で浅田氏に別れ、独りてくてく歩行《ある》くうち日も[コ]漸く暮れかかって来ましたから、帰り車に飛《とび》乗って三島に着いた時分は、雨さえぽちぽち降《ふっ》て来ました。
（丸岡九華「硯友社の文学運動」より）

第4回 模擬試験問題

試験時間 60分

合格ライン 160点

得点 /200

月 日

1

次の——線の読みを**ひらがな**で記せ。1〜20は**音読み**、21〜30は**訓読み**である。

1 竈煙が真っ直ぐ立ち上る。（　　）

2 紬紡糸を利用して手毬《てまり》を作る。（　　）

3 割烹を兼ねた宿屋に泊まる。（　　）

4 甥姪たちも皆成人を過ぎた。（　　）

5 肇国の理想を顕現する。（　　）

6 禰祖に赴き武運長久を祈願する。（　　）

7 最初の一念は湛湛たる水の如し。（　　）

8 官職を追われて柴荊に住む。（　　）

9 青翠の野山を散策する。（　　）

10 近什の詩二篇を発表する。（　　）

11 自彊の精神を涵養《かんよう》する。（　　）

/30 (1×30)

27 池の周りに杭を打ち込む。（　　）

28 姥目樫の備長炭を部屋に置く。（　　）

29 真鰯を開いて天麩羅《てんぷら》にする。（　　）

30 寒い雪の日には藁履を履く。（　　）

2

次の傍線部分は常用漢字である。その**表外の読み**を**ひらがな**で記せ。

1 形は小さいが才気に溢れている。（　　）

2 学問して因果の理を知る。（　　）

3 蓮の台の半座を分かつ。（　　）

4 寡の母と二人暮らしだ。（　　）

5 大きな団い月が懸かっている。（　　）

6 焦っても陸な結果にならない。（　　）

/10 (1×10)

12 亮闇のため音曲は停止となった。（　　）
13 砂岩と頁岩の地層が発見された。（　　）
14 弊袴を丁寧に修復する。（　　）
15 新年に宮中で賜餐を受けた。（　　）
16 閏統で即位した最初の天皇だ。（　　）
17 災害で壊れた屋根を補葺する。（　　）
18 金箔押しの革で装釘されている。（　　）
19 大きな運命の波に簸弄される。（　　）
20 満場自然に和穆の気を催す。（　　）
21 山が瑞瑞しい緑に彩られている。（　　）
22 観光収益で地域が濡う。（　　）
23 燦らかな陽光が降り注ぐ。（　　）
24 鍵がないかと鞄の中を摸る。（　　）
25 柾目の見事な桐箪笥だ。（　　）
26 黒檀は建築材等に利用される。（　　）

7 得意とする件を語り始めた。（　　）
8 金に飽かせて芸術品を購う。（　　）
9 戦火を潜り抜け生き延びた。（　　）
10 心の裏を手紙に認める。（　　）

3

次の**熟語の読み**と、その**語義**にふさわしい**訓読み**を（送りがなに注意して）**ひらがな**で記せ。

/10 (1×10)

〈例〉健勝……勝れる → けんしょう / すぐ

ア 1 婁絡（　　）…… 2 婁ぐ（　　）
イ 3 尤物（　　）…… 4 尤れる（　　）
ウ 5 畢生（　　）…… 6 畢わる（　　）
エ 7 弼匡（　　）…… 8 弼ける（　　）
オ 9 繡閣（　　）…… 10 繡しい（　　）

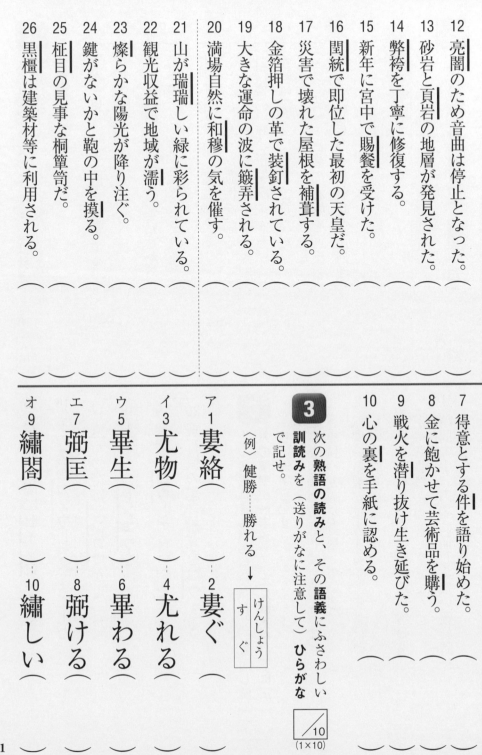

4 次の各組の二文の（　）には**共通**する漢字が入る。その読みを後の□から選び、**常用漢字（一字）**で記せ。

/10 (2×5)

1
- 主家を思う（1）情を吐露する。
- 藩のために微（1）を尽くす。

2
- 家運は一層の（2）昌を見せた。
- 業界の（2）替が繰り返された。

3
- 予測不能な（3）変に備える。
- （3）行に走った動機を語る。

4
- 所得税の（4）正を請求する。
- 会議は深（4）にまで及んだ。

5
- （5）紀二十三歳の花嫁を迎える。
- 御（5）情に与り御礼申し上げます。

きょう・こう・しん・ちゅう
てん・ほう・りゅう

5 次の傍線部分の**カタカナ**を**漢字**で記せ。

/40 (2×20)

15 力士が土俵に**セイゾロ**いする。

16 手の傷が**カノウ**して熱まで出た。

17 遠くの空に**センコウ**が走った。

18 大学での**センコウ**を決める。

19 言葉を**ロウ**して言い訳をする。

20 飛行機の爆音が耳を**ロウ**する。

6 次の各文にまちがって使われている**同じ読みの漢字**が**一字**ある。**上に誤字**を、**下に正しい漢字**を記せ。

/10 (2×5)

1 どんな困難に遭遇しても撓《たわ》まぬ強甚さを持つ友人を尊敬している。（　・　）

2 派閥の気裂が拡大する中、党首は難しい舵取りを迫られた。（　・　）

3 大きな茅拭きの家の屋根から雪の塊が落ち轟然と地響きを立てた。（　・　）

4 暗闇の中、円蓋に通じる狭い羅旋階段を一気呵《か》成《せい》に駆け上った。（　・　）

1 川は交差点付近で**アンキョ**となった。（　）（　）
2 **シャクネツ**の炎天下で試合が行われる。（　）（　）
3 交通事故で**セキツイ**を損傷した。（　）（　）
4 この計画には**マンコウ**の自信がある。（　）（　）
5 **キゼン**とした態度で喪主を務めた。（　）（　）
6 浪費で家計が**ヒッパク**する。（　）（　）
7 **セッケン**でしっかり手を洗う。（　）（　）
8 終に反乱の**シュカイ**が降伏した。（　）（　）
9 **ウンカ**のような敵を蹴散らす。（　）（　）
10 友人と**バンサン**を共にする。（　）（　）
11 **ダキ**すべき偽善の振る舞いだ。（　）（　）
12 緻密に**チョウホウ**網を張っていた。（　）（　）
13 この先の人生は**ヨロク**と思う。（　）（　）
14 毛虫にかぶれて**シッシン**が出る。（　）（　）

5 邪知暴虐の王が改心し、民衆は皆安度の胸を撫で下ろした。（　・　）

7 次の問1と問2の四字熟語について答えよ。

/20 (2×10)

問1 次の四字熟語の（1〜10）に入る適切な語を後の□から選び**漢字二字**で記せ。

（1）狼狽　魚目（6）
（2）妖怪　泰山（7）
（3）奄奄　古色（8）
（4）奮迅　笑面（9）
（5）自煎　筆耕（10）

（　）（　）（　）（　）（　）

えんせき・きそく・けんでん・こうか
こうもう・こりん・しし・しゅうしょう
そうぜん・やしゃ

問2 次の1～5の**解説・意味**にあてはまる四字熟語を後の□から選び、その**傍線部分だけの読み**を**ひらがな**で記せ。

/10 (2×5)

1 多くの人や物が入り乱れること。（　）

2 つまらぬ人物がはびこる様子。（　）

3 ひたすら勉学に励むこと。（　）

4 美しい女性のたとえ。（　）

5 勢力を再び取り戻すこと。（　）

屋梁落月・捲土重来・周章狼狽・沈魚落雁 朝蠅暮蚊・稲麻竹葦・浮花浪蕊・磨穿鉄硯

8

次の1～5の**対義語**、6～10の**類義語**を後の□の中から選び、**漢字**で記せ。□の中の語は一度だけ使うこと。

/20 (2×10)

対義語

1 出家（　）

2 肥沃（　）

類義語

6 台所（　）

7 根城（　）

8 自家**ヤクロウ**中の物。（　）

9 **トタン**の苦しみ。（　）

10 朝菌は**カイサク**を知らず。（　）

10

文章中の傍線（1～5）の**カタカナ**を**漢字**に直し、波線（ア～コ）の**漢字**の**読み**を**ひらがな**で記せ。

/20 (書き2×5)(読み1×10)

A

翁の嗜好《しこう》としては取立《とりた》てていうほどのものがないが、酒は深く嗜《たしな》まず甘い物も食わず唯食道楽として濃厚な**ウナギ**、天麩羅《てんぷら》、ももんじい屋の猪肉等が最も好物であった。…（中略）…**ゾウショ**も一時は沢山あったが読書に耽って居る事も少なく、晩年には自ら玩仏居士と号して古仏像や仏具を蒐集して楽《たのし》んでいたが、これがために**コットウ**類に対する鑑識にも段々長ずるようになった。余技としては俳句が第一で、これは初めは涼窓露蕳《りょうそうろしゅう》について教えを受け、また香以山人《こういさんじん》に学んだ事もあり、後には老鼠堂永機《ろうそどうえいき》と交わりよほど永機かぶれのした句を詠む事もあった。狂歌は三世千《ち》種庵諸持《くさあんもろもち》の門に入って斜月窓諸兄《しゃげっそうもろえ》と称していたが、諸

3 遅鈍（　　）（　　）
4 破綻（　　）（　　）
5 諫言（　　）（　　）
8 消長（　　）（　　）
9 終身（　　）（　　）
10 容赦（　　）（　　）

かんじょ・げんぞく・こうぶ・そうくつ
ちゅうぼう・ついしょう・ひっせい・びほう
びんしょう・ふちん

9 次の故事・成語・諺の**カタカナ**の部分を**漢字**で記せ。

／20 (2×10)

1 **ブンボウ**牛羊を走らす。（　　）（　　）
2 **キシン**矢の如し。（　　）（　　）
3 歳寒くして**ショウハク**の凋むに後るるを知る。（　　）（　　）
4 珍客も長座に過ぎれば**イト**われる。（　　）（　　）
5 二股**コウヤク**。（　　）（　　）
6 信は**ボダイ**の源。（　　）（　　）
7 万緑**ソウチュウ**紅一点。（　　）（　　）

持の主唱していた文政調よりは[オ]可笑し味ある即興的のものに長じていた。また[カ]端唄の新作や[キ]都々逸なども作り、晩年には都々逸の選者となりその選料を小遣取《こづかいとり》にしていた事もあった。

（野崎左文「明治初期の新聞小説」より）

B あの[4]**ニギ**やかな硯友社の人たちが一方にあるかと思うと、一方には早稲田派や千駄木派があって、それが互いに鎬《しのぎ》を削っていたことを私は思い起《おこ》す。しかし三十年頃には、時代は最早変《かわ》りつつあった。…（中略）…日清戦争以後、ヨオロッパの潮流は流るるように入って来た。軽口、駄洒落《だじゃれ》、雑俳などは益々傍《わき》に押されて行っていた。

（田山花袋「明治三十年前後の文壇」より）

C ただこれを[ク]真似るをのみ芸とする[5]**コウセイ**の奴こそ気の知れぬ奴には候なれ。それも十年か二十年の事ならともかくも二百年たっても三百年たってもその[ケ]糟粕を[コ]嘗めて居る不見識には驚き入《いり》候。

（正岡子規「歌よみに与ふる書」より）

第5回 模擬試験問題

試験時間 60分

合格ライン 160点

得点 /200 月 日

1 次の――線の読みを**ひらがな**で記せ。1～20は**音読み**、21～30は**訓読み**である。

/30 (1×30)

1 巽与の言に気を配る。（　）

2 青々と伸びた春韮を刈り取る。（　）

3 於邑して窃かに自ら痛む者なり。（　）

4 舟筏を浮かべて川を下る。（　）

5 兜巾の紐を付け替える。（　）

6 漏壺で水量を調整し時刻を計る。（　）

7 世の評判は毀誉相半ばしていた。（　）

8 堵列した兵士が司令官を迎える。（　）

9 彼我には劃然たる差がある。（　）

10 武士の気風も弛廃した。（　）

11 祖国の頽廃《たいはい》を慨歎する。（　）

27 榎茸の栽培が盛んな町だ。（　）

28 椋鳥が群を成して空を渡る。（　）

29 焔のような情熱を秘めている。（　）

30 鮎汲みは毎年春の行事だった。（　）

2 次の傍線部分は常用漢字である。その**表外**の**読み**を**ひらがな**で記せ。

/10 (1×10)

1 床に席を敷き詰めて横になる。（　）

2 暫くは心身の保養に力める。（　）

3 彼女の委しい経歴は知らない。（　）

4 被災地の様子に心を惨める。（　）

5 中秋の名月に薄を供える。（　）

6 水に浸した大豆が潤びる。（　）

12 彼は斯学の確立に貢献した。（　　）
13 無数の星が珊珊と輝く。（　　）
14 宛転たる鶯の声が聞こえる。（　　）
15 樹々が暢茂している。（　　）
16 極めて允当な指摘を受ける。（　　）
17 其処彼処から砧杵が聞こえる。（　　）
18 雲一つない遥碧を眺めやった。（　　）
19 役立たずの牟食と罵られる。（　　）
20 顎関節の脱臼を治療する。（　　）
21 何があろうと決心は挫かれない。（　　）
22 禿びた箒《ほうき》で落ち葉を掃き寄せる。（　　）
23 老骨に鞭って働き続ける。（　　）
24 火を伝うるは迺ち薪草なり。（　　）
25 江戸の粋な小噺を披露する。（　　）
26 杢糸で編まれた手袋を買う。（　　）

7 嚇すような口調で怖がらせる。（　　）
8 王を翼けて反乱を鎮圧した。（　　）
9 梅の花が芳しい香りを放つ。（　　）
10 授業は都て英語で行われた。（　　）

3 次の**熟語の読み**と、その**語義**にふさわしい**訓読み**を（送りがなに注意して）**ひらがな**で記せ。

／10（1×10）

〈例〉健勝……勝れる → けんしょう／すぐ

ア 1 昏倒（　　）……2 昏む（　　）
イ 3 夷坦（　　）……4 坦らか（　　）
ウ 5 晦渋（　　）……6 晦い（　　）
エ 7 掬飲（　　）……8 掬う（　　）
オ 9 寓意（　　）……10 寓ける（　　）

4 次の各組の二文の（　）には**共通**する漢字が入る。その読みを後の□から選び、**常用漢字（一字）**で記せ。

10 (2×5)

1 大量の金塊を（1）蔵する。
一族の（1）潮は明白だった。（　）

2 突然に（2）明境を異にした。
山間に（2）栖の地を求める。（　）

3 古（3）を過ぎてなお意気軒昂だ。
（3）代の落語家として名を馳せた。（　）

4 数奇にして薄（4）な生涯だった。
消費者の射（4）心を煽る仕組みだ。（　）

5 犀（5）な推理力で事件に挑む。
融資をして（5）鞘を稼いだ。（　）

き・げん・こう・たい・まい
ゆう・り

5 次の傍線部分の**カタカナ**を**漢字**で記せ。

40 (2×20)

15 **シノツ**く雨が激しく窓を叩く。（　）

16 父は**コウコウヤ**ぶりを発揮した。（　）

17 何事も**トウカン**にしない性格だ。（　）
18 娘に宛てた手紙を**トウカン**する。（　）

19 林の奥にも**ショコウ**が射し込む。（　）
20 **ショコウ**を告げる寺の鐘が響く。（　）

6 次の各文にまちがって使われている**同じ読みの漢字**が**一字**ある。**上に誤字**を、**下に正しい漢字**を記せ。

10 (2×5)

1 夏の掻き入れ時に観光客数減少という前代未聞の事態に陥った。（　・　）

2 一帯は牢固たる勢力が錯争し名将も手を焼く難治の地と言われた。（　・　）

3 万端疎漏なきよう備えた華飾の典が厳粛且つ盛大に挙げられた。（　・　）

4 過酷な現実に戸惑い葛闘する主人公を静穏な筆致で描いている。（　・　）

1 自分の**カイショウ**のなさに辟易《へきえき》する。（　　　）
2 各国に**ツウチョウ**を送付した。（　　　）
3 消費の動態を**ハソク**する。（　　　）
4 **サワラビ**を摘んでお浸しにする。（　　　）
5 壮大な**ホラ**を吹いて笑われた。（　　　）
6 突然のことに**アゼン**とした。（　　　）
7 **バテイ**の響きが近づいてくる。（　　　）
8 人との出会いが旅の**ダイゴミ**だ。（　　　）
9 紙に大きな**ダエン**を描く。（　　　）
10 一般向けの**ケイモウ**書を出版する。（　　　）
11 時代の**チョウジ**として台頭する。（　　　）
12 当初の**テハズ**通りに準備を進めた。（　　　）
13 指導者たちの思惑に**ホンロウ**された。（　　　）
14 競走馬にすべく**ジュンチ**する。（　　　）

5 迂遠で解渋な議論は次第に本質から離れ不毛に終わるだろう。（　・　）

7 次の問1と問2の四字熟語について答えよ。

/20 (2×10)

問1 次の四字熟語の（1〜10）に入る適切な語を後の□から選び**漢字二字**で記せ。

（1）叫喚　天神（6）
（2）走牛　一虚（7）
（3）断機　鼓腹（8）
（4）嘗胆　玉砕（9）
（5）櫛比　暮色（10）

あび・いちえい・がしん・がぜん・げきじょう
そうぜん・ちぎ・ぶんぼう・もうぼ・りんじ

問2 次の1～5の**解説・意味**にあてはまる四字熟語を後の□から選び、その**傍線部分だけの読み**を**ひらがな**で記せ。

／10（2×5）

1 他人の作品をそのまま盗用すること。（　　）

2 相手を簡単に打ち負かすこと。（　　）

3 聞いていて快い気分になるような言葉。（　　）

4 慌てふためくこと。（　　）

5 過ぎ去る歳月のこと。（　　）

鎧袖一触・活剝生呑・金烏玉兎・牽強附会・周章狼狽・城孤社鼠・竜章鳳姿・甜言蜜語

8

次の1～5の**対義語**、6～10の**類義語**を後の□の中から選び、**漢字**で記せ。□の中の語は一度だけ使うこと。

／20（2×10）

対義語

1 僅少（　　）

2 安泰（　　）

類義語

6 器量（　　）

7 奇怪（　　）

9 一斑を見て**ゼンピョウ**をトす。（　　）

10 渇しても**トウセン**の水を飲まず。（　　）

10

文章中の傍線（1～5）の**カタカナ**を**漢字**に直し、波線（ア～コ）の**漢字の読み**を**ひらがな**で記せ。

／20（書き2×5）（読み1×10）

A 今は精確に記憶しないが、「茶碗割」という[1]**タンペン**小説は或る支那の随筆から翻案したのであり、また「慎夏漫筆」という漢文に書いた日本人の随筆に或る幕府の役人が木曽の旅宿にやどり、その家に鶉《うずら》の[2]**カゴ**に入れて飼ってあるのを見て[ア]私かに望《のぞみ》をかけ、何《な》んとかして無心をいわんと、わざと多くの茶代を贈って主人を喜ばせたのがかえって[3]**アダ**となり主人は茶代に[イ]酬ゆる馳走の材料に窮し、鶉を屠《ほふ》って[4]**ゼンブ**に供え、客人の大失望を買ったという一話が山人の興味をそそり、タンペン小説となったが、標題は今思い出せぬ。

（市島春城「明治文学初期の追憶」より）

B 『膝栗毛』や『金草鞋《かねのわらじ》』よりも仮名垣魯文の『西洋道中膝栗毛』や『あぐら鍋』などが持て囃《はや》されたの

3 浅瀬（　　）（　　）
4 捷径（　　）（　　）
5 匡正（　　）（　　）
8 通暁（　　）（　　）
9 出版（　　）（　　）
10 仲介（　　）（　　）

あっせん・うろ・きたい・じょうし・しんえん
ちしつ・ばくだい・めんよう・ようぼう
わいきょく

9 次の故事・成語・諺の**カタカナ**の部分を**漢字**で記せ。　／20（2×10）

1 **シュウビ**を開く。（　　）（　　）
2 **リョウキン**は木を択ぶ。（　　）（　　）
3 人生　字を識るは**ユウカン**の始め。（　　）（　　）
4 百尺**カントウ**一歩を進む。（　　）（　　）
5 人間万事**サイオウ**が馬。（　　）（　　）
6 **セイア**は以て海を語るべからず。（　　）（　　）
7 瓢箪から**コマ**が出る。（　　）（　　）
8 **キカ**居くべし。（　　）（　　）

である。草双紙の挿絵（ウ）を例にとって言えば、例えば『金華七変化《きんかしちへんげ》』の鍋島猫騒動の小森半之丞にトンビ合羽を着せたり、靴をはかせたりしている。…（中略）…そうしてさまざまに新しさを追ったものの、時流には抗し難く、『釈迦八相記』（倭文庫《やまと》）『室町源氏』なども、ついにはかえり見られなくなってしまった。

戯作者（エ）の殿（オ）としては、仮名垣魯文と後に新聞記者になった山々亭有人《さんさんていありんど》（条野採菊）に指を屈しなければならない。

（淡島寒月「明治十年前後」より）

C　されば火を見ては熱を思い、水を見ては冷を思い、梅が枝に囀《さえず》る5**ウグイス**の声を聞《きく》ときは長閑（カ）になり、秋の葉末（キ）に集く虫の音を聞ときは哀《あわれ》を催す。もしかくの如く我が感ずる所を以てこれを物に負わすれば、あに天下に意なきの事物あらんや。

かくいえばとて、強《あなが》ちに実際にある某の事（ク）、某の物の中に、某の意全く見《あら》われたりと思うべからず。某の事物には各々その特有の形状備《そなわ》りあれば、某の意もこれがために隠蔽（ケ）せらるる所ありて、明白に見われがたし。これを譬《たと》うるに、張三も人なり、李四（コ）もまた人なり。

（二葉亭四迷「小説総論」より）

※矢印の方向に引くと別冊が取り外せます。